Louise Sauveaustin
juin 90

LA RIVIÈRE
AVAIT UNE ÂME

André Dion, directeur de la collection Les Aînés

Dans la même collection

Les Demoiselles Salustre, roman. Gagnant 1988 du concours littéraire « La Plume d'argent ».
    Marie-Paul Gagnon

Le Retour de l'oiseau bleu, conte pour tous les âges.
    André Dion

Rêves d'aînés, nouvelles. Gagnant 1988 du Prix nouvelle de la collection Les Aînés.
    Pauline Barbeau, Claire Beaudoin, Paulette Gauthier, Lucile Jérôme, Jeannine Laforest, Robert Massé

Du même auteur

La petite maison du bord de l'eau, récit romancé. Prix littéraire du mensuel « Le Troisième Âge », Libre Expression, 1981.

Brises spirituelles, poèmes. Éditions Paulines, 1983.

Pension de famille, roman. Libre Expression, 1984.

En feuilles détachées, poèmes. La Maison des Mots, 1985.

Comme les pas sur le sable, roman. La Maison des Mots, 1985.

———————

Le concours littéraire « La Plume d'argent », sous la direction de madame Françoise Morin, est parrainé par la Fondation Berthiaume-Du Tremblay.

Ève BÉLISLE

LA RIVIÈRE
AVAIT UNE ÂME

Roman

Préface du cardinal Paul-Émile Léger

QUÉBEC
AGENDA
200, avenue Lambert
Beauceville, Qué.
G0M 1A0

© 1988 Québec Agenda Inc.

Dépôt légal : 2e trimestre 1988
Bibliothèque nationale du Québec
Bibliothèque nationale du Canada

ISBN 2-8929-4098-2

Imprimé au Canada

Préface

Si vous lisez ce livre — et je souhaite que plusieurs personnes de tous âges et de toutes conditions accomplissent ce pèlerinage à Assametquaghan —, préparez-vous à traverser la Rivière une centaine de fois. Eh ! oui, « la Rivière », en ce lieu qui semble être situé sur une autre planète que notre terre, « la Rivière avait une âme » !

Dans ce récit, tous les êtres ont une âme, depuis les paysages jusqu'aux moyens de transport.

Il est difficile, cependant, de décrire l'émotion que nous éprouvons en découvrant un paysage par la seule description qu'en ferait un voyageur. Je n'ai pas visité la région que traverse cette rivière mystérieuse, dont les eaux limpides portent encore dans leurs reflets le profil des figures arquées des Micmac qui y vivaient à une époque aujourd'hui révolue.

Et voici que la lecture de ces pages — magie de la lecture — devait faire remonter à mon conscient les reliefs d'une splendeur passée et attirer mon attention sur les enjeux d'une civilisation en gestation.

La Rivière a joué un grand rôle dans ma vie d'enfant. Les eaux du Lac Saint-François ont été les témoins et souvent les complices de mes jeux. Enfermé dans les frontières d'un hameau, j'aurais pu devenir un garçon solitaire, mésadapté et simplement, plus tard, accepté par une civilisation. Mais la Rivière m'invitait à la vie sociale, par le passage quotidien du caboteur qui me révélait que des hommes et des femmes vivaient ailleurs.

Après le passage matinal du «Chaffy», la vie du village entrait dans ce calme qui permettait aux quelques enfants de reprendre le chemin de l'école. Mon école n'était pas un athénée. C'était un genre de garderie d'enfants avançant lentement, sur une période de sept ans, sous la conduite d'une seule institutrice, à travers les innombrables détails, formes, combinaisons, variantes, types et nuances de la langue parlée et écrite. Aujourd'hui, citant Lafontaine, je dirais que nous travaillions dans ces galeries du savoir à la manière des taupes et que «les taupinières nous apparaissaient comme des monts».

Ma première expérience littéraire fut la lecture d'un roman édifiant : *La grande amie*. L'auteur, un prêtre du diocèse de Paris, y esquissait les caractères de personnages évoluant dans le contexte social des débuts de l'ère industrielle. Alberte, fille d'un riche industriel, est rongée par l'ambition et la jalousie. Sa fin sera tragique. Odile porte en elle le haut idéal de la paysannerie, attachée aux valeurs religieuses et patriotiques. Son fiancé, Jacques, est le représentant authentique d'une noblesse qui a créé un style de vie que l'Histoire a appelé « la civilisation chrétienne ».

La mort d'Odile nous introduit dans le mystère d'un au-delà. La résignation de Jacques ne manifeste aucun symptôme d'un psychisme morbide. Sa foi le soutiendra dans la tâche qu'il entreprend de construire un monde meilleur.

En terminant ce beau récit, je compris que l'héroïne de ce roman, ce n'était pas Odile, la fiancée de Jacques, mais bien la terre d'Alsace qu'il devait protéger du matérialisme envahissant. C'est en tournant la dernière page que nous comprenons le sens du titre du roman : *La grande amie.*

Les personnages que nous avons appris à connaître, en vivant avec eux dans le hameau d'Assametquaghan, nous ont révélé eux aussi, dans leurs mœurs quotidiennes, la grandeur dans la simplicité et la noblesse dans l'adversité.

Mais cette préface ne doit pas anticiper sur le récit. Le temps est venu pour le lecteur de se laisser porter par le courant de la Rivière et de découvrir les paysages majestueux qui marquent les frontières de ce hameau. Le clapotis des petites vagues qui frappent l'embarcation devient un dialogue et nous fait connaître la richesse de tous ces personnages dont les ombres défilent sur les berges de la Rivière.

Mais attention ! Cette fresque, composée pour nous faire connaître la beauté d'une époque, pourrait bien s'évanouir en un mirage. Où sont ces jours d'antan ? La Rivière aurait-elle perdu son âme ? Le hameau a-t-il été emporté par une inondation ? Aurait-il enseveli dans son linceul d'oubli un phare qui avait guidé une génération vers le bonheur en ne laissant qu'un paysage de roches et de ruines ? Les sables des rivières desséchées ont-ils encore une âme ?

+ *Cardleger*

CARDINAL LÉGER

Le 8 février 1988

Avant-propos

Réveiller de lointains souvenirs, faire revivre des personnages qui ont existé à une époque depuis longtemps révolue apparaît chez Ève Bélisle comme une hantise, un défi à relever pour le bénéfice des générations actuelle et futures. Après avoir évoqué les années 30 dans *La petite maison du bord de l'eau* et les années 40–50 avec *Pension de famille*, voici qu'elle remonte presque au début du présent siècle.

Le récit romancé qu'elle nous offre aujourd'hui se déroule entre le printemps 1922 et l'automne 1923. Dans une petite bourgade qu'elle appelle un hameau, la gare ferroviaire est le point déterminant de l'existence de la chapelle-école et des quatre maisons de l'endroit. Les chefs des cinq familles qui y vivent sont tous des employés de la compagnie de chemin de fer.

11

« Aussi étrange que cela puisse paraître, écrit l'auteure, une douce paix, comme un petit bonheur simple et tranquille, y enveloppe la vie de chaque jour. »

Solidaires des mêmes joies et des mêmes soucis, tassés autour d'une amitié qui réconforte et qui soutient, les habitants du lieu n'en subissent pas moins les influences extérieures. Toujours semblable à elle-même, en tout temps et en quelque lieu que ce soit, la jeunesse se laisse séduire par les nouveaux pas de danse et les chansons à la mode que les cousins américains transportent dans leurs bagages en venant vivre les vacances « dans le bas de Québec ».

Comme dans tous ses écrits antérieurs, l'auteure se montre très sensible aux émotions et aux sentiments de ses personnages, sans négliger pour autant le culte qu'elle voue à la beauté des choses et à la nature.

« Blotti au pied de pics étrangement verticaux », le hameau nous apparaît comme un joyau rare. La rivière qui le baigne devient pour ainsi dire l'élément le plus important et la baguette des saisons qui la touche lui confère un attrait changeant qui séduit et captive. On dirait même que ce cours d'eau revêt parfois la dimension d'un personnage, tant sa présence se fait réelle à tous les chapitres.

« Elle paraît si rassurante, ce soir, en son courant paisible. Les derniers rayons du soleil, après avoir effleuré la cime des monts, éclaboussent une dernière fois ses eaux réchauffées avant

de glisser lentement derrière les masses montagneuses que la nuit engloutit. On entend encore
dans l'air apaisé la ritournelle du pinson puis la
grande paix des crépuscules descend sur le
hameau ».

Ce récit se révèle en somme comme un harmonieux mariage de poésie et d'authenticité que
les lectrices et les lecteurs sauront apprécier.

1

Assametquaghan

En ce début de l'été 1922, la rivière coule libre et paisible entre les montagnes escarpées. Sous la transparence de ses eaux, des truites audacieuses et agiles apparaissent, ondulent sur les galets puis s'éclipsent en douce. Elles se faufilent sous une roche massive contre laquelle vient se briser le courant clair, en un léger clapotis mousseux.

Alimentée par un lac ressemblant à une mer intérieure, cette rivière a patiemment creusé son lit à une epoque qui semble se perdre dans la nuit des temps. Bien avant la venue des visages pâles, les Micmac la parcouraient dans leurs canots d'écorce de bouleau. Ils parlent du Grand-Esprit en colère qui aurait brusquement, dans les temps anciens, secoué la terre, creusé les nappes d'eau, étalé les plaines et fait surgir les montagnes.

Parallèlement à la rivière, la voie ferrée au sud et la route carrossable au nord sont venues se ranger tout contre elle, comme pour s'assurer du privilège d'atteindre plus sûrement l'océan en suivant son parcours imprévisible et sinueux.

Lorsque nous descendons la rivière d'ouest en est, le hameau surgit brusquement devant nous. Blotti au pied de pics étrangement verticaux, c'est Assametquaghan. Ce nom d'origine indienne signifie « un lieu qu'on aperçoit dans un tournant ». On ne saurait désigner avec plus de justesse cet endroit qui, un demi-mille plus bas, semble se refermer sur lui-même dans un nouveau détour. D'un point cardinal à l'autre, l'horizon se heurte à de hautes montagnes vertes en été, magiquement colorées en automne et blanches en hiver.

Aussi étrange que cela puisse paraître, une douce paix, comme un petit bonheur simple et tranquille, y enveloppe la vie de chaque jour.

Le bâtiment principal de ce hameau, celui qui détermine la raison d'être de la chapelle-école et des quatre maisons du lieu, c'est la gare ferroviaire. On l'a bâtie, avec sa résidence attenante, pour accommoder les nombreux convois qui circulent de bout en bout du pays. Il y a d'abord les « rapides » bondés de passagers. Ces trains passent en trombe, la nuit, ne laissant dans leur sillage qu'un long panache de vapeur blanche qui s'effiloche lentement sous les rayons obliques de la lune blafarde. Passent aussi, à des heures moins régulières, les longues chaînes de wagons de marchandises de tous calibres et de tous poids qui s'arrêtent parfois pour livrer ou prendre un message. On y fait le plein d'eau des immenses chaudières qui, chauffées au maximum, constituent la force motrice des locomotives de tête et de queue de ces équipages monstrueux.

Toutefois, les trains qui intéressent le plus les habitants du hameau sont vraisemblablement ceux qui font halte dans toutes les gares et desservent les populations des villages éparpillés sur leur parcours. Il y en a deux. Ces convois font régulièrement la navette — montant et descendant chaque jour — entre Campbellton et Lévis. L'un de ces trains, appelé *l'Accommodation*, est affecté au transport des marchandises tandis que l'autre, *le Local*, transporte les voyageurs et le courrier postal. Ce dernier petit train conditionne, pour ainsi dire, toute la vie du milieu. C'est la distraction quotidienne par excellence.

2

Lydia et Alexis Brodeur

Alexis Brodeur, le chef de gare, est assurément le personnage le plus important du lieu. En plus de son travail régulier, il cumule les fonctions de juge de paix, de marchand général, de commerçant de bois, de maître de poste et de maître de chapelle. Par le fait d'une certaine entente tacite, il est devenu le mandataire attitré de ses concitoyens auprès des autorités religieuses et civiles. On fait confiance à son équité et à son sens des affaires. On lui porte estime.

On peut dire aujourd'hui que toute l'histoire du hameau tient de la rencontre et du mariage de Lydia et d'Alexis. Quinze ans plus tôt, ce merveilleux roman d'amour devait éclore au temps des premiers frimas, dans un minuscule village bâti plus loin autour de la scierie régionale. En signant son engagement d'enseignante à l'école de Millstream, Lydia était loin de penser qu'elle allait à la rencontre de son destin.

Elle avait longtemps hésité. Quitter son village prospère lui laissait l'impression de tourner le dos à la vie. Mais des considérations d'ordre pratique devaient emporter toutes ses hésitations.

À Millstream, la Compagnie qui pourvoit à l'instruction des enfants de ses ouvriers ne lésine pas quand il s'agit des honoraires de l'institutrice. Et en plus, ce « petit train » quotidien pourra la remener dans sa famille à toutes les fins de semaine.

Quel train accommodant pour elle !

Elle y montera le samedi matin, vers huit heures, et reviendra le dimanche, à sept heures du soir.

Ce premier jour de septembre, après être descendue du *Local*, elle fait ses premiers pas sur ce sol étranger recouvert de cailloux rugueux. Elle a l'impression de venir y enterrer sa jeunesse.

Les sombres forêts si proches, la petite gare qui n'est qu'un abri peint en gris comme toutes les maisons du village, la monotonie des couleurs qu'accentue la tombée de la nuit, tout cela dilue dans l'espace ambiant une espèce de morosité oppressante.

Personne n'est là pour accueillir l'institutrice. Un homme d'une cinquantaine d'années s'est emparé d'un gros sac de courrier et, au moment où il tourne le dos à la jeune fille pour s'engager dans l'unique rue du village, Lydia le rejoint.

Elle veut savoir où se trouve la maison du gardien de l'école. Il lui faut la clef pour entrer.

— Suivez-moi, lui dit l'homme, je passe par là.

Aux trois petits coups qu'elle frappe à la porte, une voix masculine grave et sonore l'invite à entrer.

Toute la famille est attablée pour le repas du soir. À un bout de la table, le père et, à ses côtés, la mère. Le plus jeune est dans sa chaise haute. Les six autres enfants sont placés par gradation d'âge.

En se présentant, l'institutrice sourit à tout ce monde qui la regarde curieusement.

— Ah! Vous êtes la nouvelle maîtresse! On vous attendait pas avant demain. Venez prendre une bouchée avec nous autres, dit le père.

Lydia décline gentiment l'invitation en alléguant qu'il fait déjà nuit et que sa valise est restée à la porte de la gare. Elle a d'ailleurs apporté un casse-croûte suffisant pour son ooupor.

— Venez au moins prendre une bonne tasse de thé chaud pendant que les hommes iront chercher votre valise, dit la mère.

Lydia ne résiste pas à tant de gentillesse. Affable de nature, elle meurt d'envie de faire connaissance avec les enfants qui seront sans doute du nombre de ses élèves.

Le tour amical que prend la conversation dégêne la famille.

— Nous autres, dit la femme, on est des Gallant. Mon mari s'appelle Jérôme. Les enfants, vous allez les connaître bien vite. J'en ai quatre qui vont à l'école.

Et une fois lancée, la femme de Jérôme, Gerty, est fière d'annoncer que « les femmes du village ont fait un beau ménage dans le logement de la maîtresse ».

Lorsque l'institutrice emboîte le pas aux hommes qui transportent sa valise dans une brouette, elle se sent déjà plus légère. Elle est étonnée de voir la place éclairée par le courant électrique.

— Ici, lui dit Jérôme, tout appartient à la Compagnie : le moulin, les maisons, l'école, tout. C'est la Compagnie qui a fait installer une dynamo pour éclairer le village. Vous allez trouver ça commode dans l'école.

Après avoir franchi la porte de l'école, Jérôme touche le bouton d'un interrupteur et une ampoule suspendue au bout d'un fil éclaire le vestibule et les premières marches de l'escalier qui mène à l'étage du logement. En quelques grandes enjambées, l'homme monte l'escalier. Il déverrouille la porte, fait de la lumière dans la pièce et revient aussi vite pour aider son fils à monter la valise de Lydia.

— J'ai laissé la clef sur la table, dit-il en partant. Vous pouvez « barrer » votre porte, mais il n'y a aucun danger. Ici, il n'y a que du bon monde.

Après avoir éclairé toutes les pièces de son nouveau domicile, Lydia prend la clef et descend verrouiller la porte extérieure.

Gerty avait raison. Le logement, peint en gris comme l'extérieur des maisons, est très propre. Les deux pièces habitables, soit la chambre à coucher et la cuisine-salon-salle-à-manger, sont sobrement meublées. Tout à côté du poêle à deux ponts, une grande boîte en bois — peinte en gris, naturellement — est remplie de bûches. « C'est vraiment du bon monde, se dit la jeune fille, ils ont pensé à tout. »

Réconfortée, déjà disposée à se laisser apprivoiser, Lydia prend sa collation du soir. Puis elle prépare son lit et s'endort en pensant qu'il lui reste deux jours pour compléter son installation. L'école ouvrira ses portes lundi prochain. Elle a donc tout le temps nécessaire à la planification du premier jour de classe.

En ce premier dimanche de septembre, l'automne semble déjà installé. Lydia se sent un peu triste, ce qui correspond peu à sa nature déterminée et pétulante. Dans ce patelin tout gris où la population semble se terrer aujourd'hui entre les murs des maisons closes, elle se résigne mal à la perspective d'une longue solitude affective. Elle n'a pas encore connu de ces revirements subits de l'existence qui réservent tant de surprises. Et quand, sous les traits d'Alexis Brodeur, l'espoir se dressera devant elle, elle hésitera à reconnaître le visage de son destin.

C'est vers la fin d'octobre qu'ils se sont rencontrés, au magasin général.

Au moment où le gérant, Tom Ingall, les présente l'un à l'autre, Alexis, veuf et père de quatre enfants, sent subitement monter en lui les effluves d'une jeunesse qu'il croyait moribonde. Cette petite femme brune à l'œil vif, volontaire et pleine de vivacité l'attire et l'intimide en même temps. Il ne comprend pas pourquoi il retrouve avec autant d'acuité les impressions qu'il avait ressenties déjà au temps de ses premières amours. Une vie nouvelle semble naître, un avenir se dessine, tout éclairé par la gracieuse silhouette de Lydia. Lui qui n'a jamais cru au coup de foudre, il ne comprend pas ce qui lui arrive de façon aussi inattendue. Serait-ce l'amour ?... Pourtant, on lui a tant de fois répété « qu'un homme ne peut aimer qu'une fois ! »... Il n'y a donc pas de logique quand il s'agit des affaires du cœur ?

De son côté, la jeune fille considère avec amusement ce costaud blond qui paraît si timide devant elle. À vingt-huit ans, Lydia possède assez de maturité pour deviner les sentiments du veuf. Elle sait qu'un secret désir de faire plus ample connaissance a succédé en lui à une agréable surprise. La déférence qu'il lui montre ne masque pas son désir de lointains et secrets épanchements amoureux. Cette découverte ne lui déplaît pas et elle commence à imaginer elle ne sait trop quel bonheur qui viendrait de son engagement à l'école de Millstream.

Au cours des mois suivants, Alexis vint au magasin général beaucoup plus souvent que d'habitude. Il inventait des prétextes pour se donner l'occasion de rencontrer l'institutrice.

En décembre, on l'a vu porter le sac de provisions de Mademoiselle jusqu'à la porte de l'école ; et quand sont venues les vacances de l'hiver, il a accepté avec empressement l'invitation de Lydia d'aller faire la connaissance de ses parents à Saint-Ludger.

Cette visite, comme celle que devait effectuer la jeune fille en compagnie de sa sœur Louise — selon les convenances — au domicile d'Alexis, avait presque pris l'allure de la clandestinité. Elle était si fragile, à cette époque, la réputation des institutrices.

Cibles par excellence des regards inquisiteurs de la population, ces demoiselles devaient être des modèles de vertu, de savoir-faire et de distinction. Lydia avait subi le test en récoltant la meilleure note possible et elle tenait à la garder. Sa rencontre avec les enfants du veuf l'avait enchantée. On s'était adopté mutuellement avec une bonne volonté et un plaisir évidents.

Le dernier des enfants d'Alexis, un petit garçon de quatre ans, aussi beau qu'un angelot de vitrail avec ses cheveux blonds frisés, l'avait singulièrement émue. Il se tenait debout devant elle comme en contemplation et Lydia l'entourait de ses bras pour lui parler doucement, empruntant les mots tendres qu'on aime dire aux tout-petits.

Et voici que soudain, dans un langage hésitant et timide, l'enfant lui dit :

— Pourquoi vous restez pas avec nous autres ? Vous seriez... — la dernière syllabe trébuchait d'étrange façon — comme notre maman et papa resterait toujours ici !

La jeune fille avait légèrement rougi et ses yeux noirs étaient tout embués lorsqu'elle avait réussi à répondre :

— Je ne sais pas, moi, si votre papa est de cet avis... Tu peux toujours le lui demander, avait-elle ajouté en souriant un peu plus tendrement qu'elle ne l'aurait souhaité.

Lydia devait souvent rappeler, avec un certain sourire amusé, cette curieuse demande en mariage. Alexis clignait alors un œil tendrement provocant et ne manquait jamais de répliquer que «s'il n'en avait tenu qu'à lui, il aurait tout simplement enlevé la jeune femme sans lui demander de permission ».

Ainsi, l'année scolaire terminée, au début de juillet, Lydia et Alexis se sont mariés.

Aujourd'hui, après quinze ans de vie conjugale harmonieuse, ils se remémorent cette époque qu'Alexis appelle « le temps de ses amours suppliantes ». Les yeux noirs de Lydia pétillent alors comme des diamants et ses jolies lèvres au pli moqueur esquissent un fin sourire malicieux qui, sans rien révéler, laisse deviner l'étrange mystère des accords amoureux.

26

Cinq garçons et une fille sont venus, année après année, compléter la dizaine d'enfants que la maternelle Lydia traite avec un même amour et une égale justice.

La rivière les a vus batifoler sur ses berges, insouciants et téméraires, patauger pieds nus dans ses eaux froides et voguer sur des radeaux de fortune au fil de son courant clair, à l'insu de leurs parents accaparés par le travail et les affaires.

Mais la rivière, à l'image d'un aïeule attentionnée, se plaisait alors à laisser voir un visage débonnaire et sans rides.

3

Un couple déterminé

Qui aurait imaginé les transformations profondes qui surviendraient, après le remariage d'Alexis, dans ce poste fermé, jeté comme par hasard le long de la voie ferrée?

S'étant aperçue que les préposés à l'entretien de la ligne ferroviaire vivaient seuls durant la semaine, dans les grandes maisons mises à leur disposition par la Compagnie, et apprenant par hasard que ces hommes s'assemblaient le soir pour prendre un verre et jouer à l'argent, Lydia avait vite jugé la situation très malsaine.

À Assametquaghan, il n'y avait ni magasin général, ni église, ni école. Rien pour favoriser la venue des familles. Elle y verrait.

Stimulé par sa femme, Alexis — qui devait alors envoyer ses enfants d'âge scolaire dans les pensionnats de la ville — s'était empressé de faire les démarches nécessaires auprès du département de l'Instruction publique afin d'obtenir l'autorisation d'ouvrir une école dans le salon de son propre logement.

Mis au courant de ces louables intentions, le curé de la paroisse voisine avait offert ses bons offices. Il trouverait la titulaire de l'école et il viendrait dire la messe chaque mois pour les familles du hameau.

Ces bonnes nouvelles réjouirent les cantonniers.

Après les heures de travail, au lieu de jouer aux cartes, on s'était mis à nettoyer, laver et repeindre les maisons afin de recevoir femmes et enfants aussi dignement que possible.

Alexis avait ouvert le magasin général dont Lydia s'occupait autant que lui. L'année suivante, on avait fait construire la chapelle-école qui subsiste encore aujourd'hui.

Il y a quinze ans de cela !... On n'a pas vu passer le temps !

Beaucoup d'eau a coulé dans la rivière durant toutes ces années. Des quatre enfants nés du premier mariage d'Alexis, les deux filles sont mariées et vivent à quelque cent milles du hameau de leur enfance. Quant aux garçons, ils ont appris le métier de leur père et occupent des emplois temporaires au chemin de fer. Les six derniers, les cinq garçons surtout, sont plutôt turbulents. Ils empruntent souvent les gestes de jeunes soldats insoumis, sous le regard sévère d'Alexis et l'indulgente autorité de Lydia qui comprend et excuse tout.

Le baril de mélasse percé dont une bonne partie du contenu s'écoulera dans le sable avant qu'on s'en aperçoive, les draps immaculés qu'on chipera pour jouer au fantôme par un soir sans lune ou la grenouille malicieusement glissée entre les couvertures du lit de l'institutrice, tout cela sera mis par Lydia au compte de l'inexpérience, de la curiosité, de l'impulsion juvénile ou d'une vitalité comprimée par un milieu et une règle de vie trop austères.

Il faut bien que les jeunes s'amusent!

En cet été 1922 où s'estompent les tristes souvenirs de la guerre, les visiteurs se font de plus en plus nombreux dans le hameau qu'on dirait inventé pour la paix. Chaque dimanche, les enfants mariés vivant au loin s'amènent en automobile par des routes cahoteuses. Ils abandonnent la voiture au bord du sentier menant à la rivière. Après avoir annoncé leur arrivée par des « hou-hou » joyeux, ils entassent enfants et bagages sur le large bac qui glisse silencieusement le long de son amarre, jusque derrière la gare.

Pendant que les jeunes courent à perdre haleine à la rencontre des oncles et de la tante de leur âge, leurs parents gravissent lentement l'escarpement bordé de pétunias et de capucines. Ils laissent alors paraître la joie qu'ils éprouvent de revoir la maison qui les a vus naître et grandir.

31

En juillet, on est toujours certain de rencontrer des cousins et cousines venus du Massachusetts pour passer la période des vacances. On revoit Lucienne, Alphéda ou Aurélien...

L'euphorie devient vite générale, mais rien de tout cela ne peut empêcher Lydia de s'affairer, parfois avec l'aide des jumelles Poirier, à préparer de véritables festins.

Cette femme perspicace, à qui rien n'échappe, gère et surveille tout avec un grand savoir-faire. Elle est née pour l'action. La famille Brodeur est symbole d'accueil et sa maison représente l'assurance de largesses dans l'hospitalité.

On se demande parfois ce que serait la vie de ce hameau sans la venue régulière des visiteurs arrivant de partout.

Les hommes parlent de travail, d'affaires, d'argent; les femmes de cuisine, de couture, de jardinage et, bien sûr, d'éducation. Les enfants inventent des jeux et leurs bousculades se terminent presque invariablement par un accroc à la belle robe et à la chemise du dimanche, et par des éraflures aux mains ou aux jambes.

Personne n'en meurt... Ni les parents, ni les enfants! Et comme le temps passe vite! À la fin de la journée, on reprendra le bac puis la route cahoteuse avant la tombée de la nuit.

Au revoir!... À bientôt!

Ce soir, un petit vent sournois se faufile entre les montagnes et plisse légèrement la surface moirée de la rivière. Comme un amant fidèle, le soleil la caresse encore quelques instants de ses rayons dorés et soudain un grand silence tombe sur les êtres et les choses.

Une sorte d'envoûtement, le mystère d'un incompréhensible sentiment d'isolement, nous habiterait longtemps si la sirène agressive d'un train de passagers ne venait subitement en dissiper la sensation. Le convoi passe à grande vitesse comme s'il n'y avait de vie qu'entre ses flancs d'acier.

La rivière frémit un court moment et reprend sa lente et paisible descente vers l'océan.

Tout là-haut, par-delà la crête des monts, la lune arrondie montre sa face blafarde au hameau qui s'endort.

4

Le retour du gardien

Si quelqu'un s'avisait un jour de dire à Alexis et Lydia qu'ils sont les vrais fondateurs du hameau, ils s'empresseraient sans doute de nier ce qui apparaît à tous comme une évidence. En effet, depuis 1876, date de l'inauguration de l'Intercolonial, plusieurs chefs de gare étaient venus travailler ici. Or, personne n'avait pensé à offrir les services nécessaires pour réunir les familles et leur permettre de s'établir.

Aujourd'hui on peut se réjouir de voir, groupées autour de la gare et de la chapelle-école, les résidences des cantonniers. Leur chef, Georges Maloin, demeure du côté sud de la voie ferrée, à deux pas de la petite maison jaune que Télesphore Dumont a bâtie aux confins ouest du hameau.

Au nord, les maisons d'Isidore Ledoux et de Joseph Poirier longent la rivière. Selon les saisons, des travailleurs itinérants s'ajoutent aux résidents : télégraphistes de nuit, apprentis cantonniers et bûcherons. Maggy, la femme de Georges, les accueille tout naturellement dans sa vaste maison. Cette femme fait parfois penser à une poule qui rassemble sous son aile les orphelins d'une autre couvée.

Lorsqu'on veut traverser la rivière, il y a bien sûr le bac. Amarré à quelques pas de la gare, il sert surtout dans les grandes occasions. En temps ordinaire, on emprunte le sentier en pente que les hommes ont tracé, débroussaillé et épierré à même le talus abrupt, juste en face de la petite maison jaune. On détache le canot immobile sur la berge, en retrait des roseaux et des aulnes, et on pique tout droit en direction de la maisonnette du gardien de la rivière.

Depuis dix ans, Sandy Leblanc s'amène chaque printemps dès l'ouverture de la saison de la pêche. Il a pour tâche d'empêcher le braconnage du saumon qui abonde dans les fosses profondes aux eaux noires et glacées.

Il y a eu des gardiens bien avant Sandy, car la rivière est louée à des sportifs étrangers depuis trois ou quatre générations. Les habitants des villages riverains ont bien le droit de regarder couler l'eau de leur rivière, mais on leur interdit d'y faire la pêche. Cette loi est bien sûr contestée plus ou moins ouvertement. Les vendredis et autres jours d'abstinence sont une occasion de

36

maugréer contre nos gouvernants. Les plus auda-cieux ne se font pas scrupule d'aller tirer à la ligne un saumon de quatre ou cinq livres lorsque la nuit est noire et qu'ils savent le gardien occupé ailleurs. On n'aimerait pas le mettre dans l'em-barras de sévir contre ses amis.

Sandy se montre d'ailleurs plutôt tolérant. Il ne permettrait certes pas la pêche commerciale aux dépens de ses employeurs, mais il ferme volontiers les yeux devant une seule prise illicite pourvu qu'il en soit le seul témoin.

Aujourd'hui, quinze mai, on le voit descendre du *Local*. Très grand, rondelet, rougeaud et blond comme sa mère écossaise presbytérienne de vénérée mémoire, il porte sa lourde valise de cuir fauve. Son premier regard se porte au-delà de la rivière, sur la maisonnette solitaire qui, chaque été, lui sert de gîte. Puis il embrasse du regard les montagnes comme pour reprendre possession d'un bien qui lui est propre et, apercevant le chef de gare, il va à sa rencontre. Les deux hommes se ressemblent : grands et costauds, des teints iden-tiques, on les croirait de la même race. Deux larges mains blanches s'étreignent fraternelle-ment pendant qu'on échange des propos en anglais, la seule langue que le gardien parle aisément.

D'un pas assuré, Sandy s'avance en direction de la maison de Georges Maloin. Il a toujours hâte, chaque printemps, de revoir sa cousine Maggy, la femme de Georges.

— Good morning Maggy ! How are you ?

Lancée d'une voix de stentor, cette salutation fait sursauter la grosse femme qui, assise au bout de la table de la cuisine, prend paisiblement son petit déjeuner en compagnie de grand-mère Pino. Elle s'est levée aussi vite que le lui permet sa corpulence et répond d'un ton jovialement bourru :

— Well ! Tu n'es pas encore mort, toi, vieux païen ?

— No. Look, Mag.

En même temps, il bombe le torse et fait saillir les muscles de ses robustes bras. Il embrasse sur les joues la toute menue grand-mère Pino qui s'est levée pour l'accueillir elle aussi. À côté d'elle, on dirait un géant ; mais son air débonnaire et ses yeux très bleus que plisse un large sourire lui donnent plutôt l'aspect d'un enfant heureux.

De quinze ans son aînée, la toute maternelle Maggy a toujours tendance à traiter ce célibataire de trente-cinq ans comme l'un de ses enfants.

— Viens t'asseoir, lui dit-elle, je vais te préparer un bon déjeuner.

Sandy a déposé sa lourde valise dans le coin de la cuisine, à côté de la porte où s'alignent les crochets destinés aux vêtements de sortie des hommes. Il y suspend son blouson et son chapeau gris. Il va se laver les mains sous le robinet d'eau froide et prend soin de bien les essuyer au rouleau de toile écrue. Puis, tirant de la poche de sa chemise un court peigne en corne noire, il replace méticuleusement ses cheveux qui commencent à grisonner légèrement aux tempes. Et lentement, il va s'asseoir à la table, à l'endroit que Maggy lui a désigné.

— Tiens, mange à ta faim, dit-elle à son cousin, en lui servant une assiettée de jambon et d'œufs qui pourrait satisfaire l'appétit de trois personnes.

À l'aide d'un couteau en dents de scie, elle enlève six tranches épaisses d'un pain qu'elle a cuit la veille et les place dans une petite assiette, à côté de la motte de beurre et du pot de gelée de pimbina. Il est de tradition ici que chaque famille ait cette sorte de gelée dans son garde-manger d'une cueillette à l'autre. Cette coutume semble avoir valeur de sacramental : elle pérennise, pour ainsi dire, l'approvisionnement familial. On dit même que « tant qu'il reste de la gelée de pimbina, la nourriture ne manque pas ».

Maggy reprend place à table à côté de son cousin. Elle lui sert une grande tasse de café brûlant, réchauffe le sien et place la cafetière à portée de la main. Ils recommencent alors à causer et à se taquiner. Ils ont tant de souvenirs en commun !

Chacun raconte comment il a vécu l'hiver. Sandy, qui n'a aucune autre parenté que cette cousine, évoque ses amis et leurs joyeuses parties de poker. Maggy parle longuement de sa famille : ses deux garçons mariés et leurs petits enfants, Alexandre, Alexandra, les jumeaux et, bien entendu, son Georges.

— Grandmother Pino ?, interroge le gardien.

Sans cesser de laver la vaisselle, elle répond que sa « santé est bonne grâce à Dieu ».

Ces deux derniers mots raniment instantanément le zèle apostolique de Maggy. Il y a longtemps qu'elle désire ramener son cousin dans le giron de l'Église catholique, celle de son baptême, selon les engagements pris par ses propres parents, parrain et marraine de Joseph-Alexandre-Sandy Leblanc, leur neveu.

Elle profite donc de l'occasion pour lui demander si « le vieux renégat commence à penser à sa conversion ».

— Whoa Mag. Look !

Il cherche au fond de la poche droite de son pantalon le chapelet à grains de bois noirs que sa cousine lui a donné il y a dix ans. Même s'il en ignore toujours les prières, il le conserve comme une amulette.

Baptisé à l'église catholique de son village acadien selon le désir de son père, ayant fréquenté avec sa mère, dans sa tendre enfance, les meetings protestants, un peu mêlé dans les religions par le voisinage de ses cousins catholiques pratiquants, Sandy a tout laissé tomber à la mort de ses parents. Mais il est loin d'être un mauvais bougre et Maggy le sait bien. Elle lui garde une affection toute particulière, comme la protection qu'une mère attentive prodigue au plus dépourvu de ses enfants. Elle n'a jamais pu fermer la porte au souvenir du magnifique bébé blond qu'elle avait bercé lorsqu'elle avait quinze ans, et qu'elle emmenait en promenade plus tard, à l'insu de sa propre mère qui redoutait «l'influence néfaste de la protestante».

C'est à tout cela qu'elle pense au moment où Sandy, soudain plus grave, se décide à prendre des nouvelles de la famille Poirier, ... de Maria.

Maggy lui lance un coup d'œil malicieux qui le fait rougir comme un jouvenceau. Elle connaît la passion silencieuse qu'inspire à son cousin la fille aînée du père Joseph, mais elle n'hésite pas à lui dire, suivant le fil de son raisonnement :

— Tu sais bien que Maria n'épousera jamais un protestant !

— Too bad. I love her so much...

Puis il ajoute avec une évidente sincérité qu'il serait même prêt à se faire bouddhiste si Maria le lui demandait.

Maggy se met à rire et comme Alexandre vient d'entrer, il propose immédiatement d'aller reconduire Sandy de l'autre côté de la rivière.

— Tu ne partiras pas avant que je t'aie donné quelque chose à manger durant le temps de ton installation. Il est entendu que je te garde ta place à table tous les midis comme par les années passées. Le matin et le soir, tu peux te débrouiller seul, mais il te faut un bon repas par jour, une bonne soupe surtout.

Tout en parlant, Maggy a préparé un grand sac de provisions pour le gardien qui, l'air comblé, lui donne deux baisers sonores sur les joues et suit Alexandre, essuyant l'incommodante larme qui a mouillé sa prunelle de grand enfant sensible.

5

La famille Maloin

Dans le hameau, on dit de Maggy qu'elle est « bonne comme du bon pain ». Ces mots résument le caractère de cette femme dont la jovialité et le dévouement ne se sont jamais démentis : du vagabond affamé et mal vêtu tout juste descendu du train de marchandises à bord duquel il a voyagé clandestinement, à l'ami des amis de ses enfants, tous trouvent chez elle le même accueil chaleureux. En partant, le vagabond emportera, en plus de provisions de nourriture, deux paires de bas de laine tout neufs et les jeunes amis, une sincère invitation à revenir qu'ils acceptent d'emblée.

Ce matin-là, après le départ de Sandy, Maggy commence les apprêts du dîner en s'apitoyant sur le sort de son cousin.

— Pauvre Sandy, dit-elle à grand-mère Pino, c'est triste d'être seul au monde comme lui !

La plus vieille acquiesce, car la même sympathie l'habite. Seules maintenant, les deux femmes s'entretiennent en français. Elles forment toutes deux un contraste frappant. Grand-mère Pino est toute menue et fine. Sous une éclatante chevelure de neige retenue en chignon plat au-dessus de sa tête, deux yeux étonnamment bleus éclairent son visage à peine ridé. Malgré son âge avancé, elle reste alerte et vive. De loin, s'il n'était de ses longues jupes noires, on la prendrait pour une adolescente. Dans la maison, elle égaie sa sombre tenue de veuve d'un grand tablier blanc à bavette toujours bien empesé. Elle est reposante à regarder et sa fragilité n'est qu'apparente. En effet, c'est d'abord elle qu'on vient chercher, chaque fois qu'un bébé est sur le point de naître. Il lui est arrivé souvent de mettre un enfant au monde sans l'aide du médecin. On raconte même qu'un certain printemps, à l'époque des grandes crues, elle avait dû traverser la rivière, assise dans une espèce de corbeille suspendue au fil du bateau-passeur, la forte débâcle hâtive ayant empêché tout autre mode de navigation.

Grand-mère Pino semble n'avoir peur de rien. Son chapelet à portée de la main, dans la poche de son tablier, combien de milliers d'Ave n'a-t-elle pas récités au cours de sa longue existence ?

Maggy, sa belle-fille, est une grande femme brune au visage rond et aux joues pleines. Quelques rares fils argentés se glissent dans ses longs cheveux d'un noir de jais qu'elle ramène derrière en un lourd chignon bas retenu par deux jolis peignes d'écaille. Lorsqu'elle se penche vers quelqu'un pour partager une joie ou une douleur, on croirait voir dans ses yeux les doux reflets que prend le velours sous les lustres du salon. Personne ne peut se défendre de l'aimer.

Ce midi-là, à table, la conversation tourne autour du retour du gardien. Maggy raconte sa visite matinale ; Alexandre mentionne le « petit coup de main » qu'il lui a donné pour mettre son bateau plat à l'eau ; les jumeaux, Wilbrod et Arthur, un peu plus excités que d'habitude, disent qu'ils ont aperçu la fumée de son poêle en revenant de l'école et Georges, tout en gardant son air taciturne et sévère, remarque à haute voix :

— C'était le temps que Sandy s'en vienne... Les braconniers sont en train de vider la rivière !

Savourant le dessert avec une satisfaction non équivoque, Henri, le fils aîné de Maggy, l'approuve entièrement.

C'est étrange quand même comme le simple fait de la présence d'un homme sur l'autre versant de la rivière change toute la perspective : on le verra circuler autour de sa maisonnette, aller puiser son eau, fendre et rentrer son bois de chauffage. L'arrivée du gardien est comme un signe avant-coureur de l'été, comme le retour des oiseaux migrateurs.

Le midi, les travailleurs de la voie ferrée ne s'attardent pas. Puis ils reviendront à quatre heures et chacun emploiera les heures de la fin du jour selon ses goûts ou ses besoins particuliers.

— Laure et Alexandra arriveront ce soir par le *Local* avec la petite, Henri. Tu n'oublieras pas d'aller au-devant d'elles, lui dit sa mère.

— Je le sais, répond le mari de Laure. J'irai... J'espère que Thérèse va mieux !

Grand-mère Pino se fait rassurante :

— Thérèse n'a rien de grave, dit-elle. Cet abcès au genou aurait fini par crever en appliquant des compresses chaudes mais cela aurait pris plus de temps. Il valait mieux la conduire chez un médecin, dit madame Brodeur. Elle s'en remettra vite !

Les hommes quittent la maison sur cette parole et les jumeaux retournent à l'école. Les deux femmes desservent la table et lavent la vaisselle.

Après avoir passé la main sur le rouleau avant où s'enroulent les aunes de catalogne aux dessins divers, Maggie s'installe à son métier à tisser, satisfaite du travail déjà accompli. Depuis deux mois, il est monté, comme à tous les printemps, dans le coin est de la vaste cuisine. Les femmes de la maison y travaillent à tour de rôle.

— Sais-tu qu'il n'en reste pas long à faire, remarque la grand-mère. Cela va nous donner huit belles couvertures !

— Ce n'est pas trop, reprend Maggy. Quand j'en aurai donné deux à Laure et deux à Alexandra pour son trousseau, il ne nous en restera pas tant. Maintenant que le beau temps s'en vient, j'ai hâte d'aller travailler dans le jardin.

— Les plants de tomates sont robustes cette année, remarque grand-mère Pino ; il y en a même qui commencent à fleurir. Je pense que c'est le temps de les arroser, ajoute-elle, en se levant.

En face de la grande fenêtre du côté ouest, deux larges madriers supportés par des tréteaux disparaissent presque entièrement sous la vingtaine de plants qui croissent dans des contenants en fer-blanc vidés de leurs conserves de tomates de l'hiver précédent. La vieille femme les arrose avec de l'eau tiède avant de s'asseoir dans sa berceuse pour réciter son chapelet. Le martellement régulier et monotone du peigne du métier à tisser favorise sa méditation.

Plus près des préoccupations matérielles de l'existence, Maggy dit soudain :

— Avant le jardinage, il va falloir penser à faire notre savon. Nous avons une pleine jarre de gras. Il faudra l'utiliser avant les chaleurs.

La grand-mère escamote malgré elle un Ave, mais elle a retenu le grain de chapelet entre le pouce et l'index avant de donner raison à sa bollo fillo.

Chaque année, vers la fin de mai, les ménagères fabriquent leur savon. Durant l'hiver, on a mis de côté toutes les matières grasses de la cuisine : suif, couennes de porc, graisses de bacon et autres. Le gel a conservé le tout en bon état mais il est normal que l'utilisation en soit faite avant l'été. Les générations antérieures ont créé ces coutumes qu'on conserve encore fidèlement par habitude et par nécessité. On y met d'ailleurs autant de plaisir qu'à faire le sucre d'érable. L'opération terminée, on aime voir bien alignées les épaisses barres de savon blond qu'on emploiera pour la lessive durant toute l'année et on ne manque pas de se féliciter de cette réussite.

Les humbles travaux quotidiens, la simplicité de la vie, les modestes joies qu'on se tisse dans la couleur du temps qui passe, tout cela ressemble étrangement au bonheur. Est-ce l'abri des montagnes?... Est-ce l'apaisante chanson de la rivière?... On ne s'interroge même pas: on se contente de vivre, jour après jour, la douce quiétude des gens sans histoire.

6

Télesphore Dumont et ses enfants

La grande distraction quotidienne des habitants du hameau est sans aucun doute l'entrée en gare du *Local*. Chaque famille y est représentée. C'est comme un rendez-vous qu'on ne voudrait pas manquer.

On y vient pour prendre son courrier, pour rencontrer des amis, pour accueillir la parenté ou simplement dans l'espoir d'entrevoir des visages connus à travers les vitres des wagons. Cela ressemble à un bain d'amitié.

Aujourd'hui, dès que le train a stoppé, Henri saute vivement sur le marche-pied pour aller au-devant de sa femme qui porte la petite Thérèse. Alexandra la suit en portant la valise. Tous paraissent aussi contents de se revoir que si l'absence avait duré des jours et des jours. Puis on se met en marche vers la maison.

Enceinte d'un deuxième enfant, Laure s'accroche au bras de son mari. Ronde de formes et courte de taille, elle a un joli visage rose et sa chevelure blonde ondulée contraste avec ses étonnants yeux noirs.

Les enfants de Télesphore sont venus au-devant de leur demi-sœur, Laure. Marchant en se dandinant auprès d'elle, la cadette, Alicia, raconte avec force détails ce qui s'est passé durant l'absence de sa sœur. On a envoyé Télesphore junior attendre le dépouillement du courrier et Gabrielle, la plus âgée des trois, accompagne paisiblement son amie Alexandra. Les deux jeunes filles sont du même âge. La fille de Maggy ressemble beaucoup à sa mère : elle a déjà, à dix-sept ans, l'allure d'une femme. Gabrielle, par contre, garde des airs d'adolescente attardée. Grande, extrêmement mince, des yeux gris dans un visage trop grave couronné de cheveux châtains, elle paraît peu communicative.

Alicia accompagne naturellement les Maloin ; c'est chez eux qu'elle passe d'ailleurs la plus grande partie de son temps. Gabrielle a décliné l'invitation de sa sœur en disant :

— Papa doit être à la maison à cette heure... Il faut que j'aille lui servir son souper.

Sans attendre la question que Laure ne manquerait pas de poser, la jeune fille ajoute :

— De retour de sa tournée d'inspection, il m'a dit qu'il devait aller voir une coupe de bois.

Rejointe par le jeune Télesphore, elle jette un coup d'œil sur le contenu du courrier avant d'emprunter, avec celui qu'on appelle couramment Junior, le petit pont de bois qui enjambe le ruisseau. En se hâtant, ils entrent chez eux par la porte de la cuisine.

Télesphore est déjà rentré et il s'apprête à retirer du réchaud du poêle le repas que sa fille y avait placé avant de sortir.

— Excusez-moi, dit-elle, un peu essoufflée d'avoir couru du ruisseau à la maison. Asseyez-vous, je vais vous servir.

— Voyons Gabrielle, répond le père, tu aurais bien pu rester chez les Maloin toi aussi. Je suis capable de me servir ; je ne suis pas manchot !

Il s'assoit à table et commence à manger tout en faisant le tri du courrier que Junior a placé à sa droite.

Gabrielle lui apporte un verre d'eau et dépose la théière à la portée de sa main. Télesphore aime le thé. Il en boit une grande tasse à chaque repas et le soir, il s'en verse une autre qu'il emporte avec lui à la salle de séjour où il s'installe dans sa berceuse pour lire les journaux.

La pièce est peinte en vert pâle et le plancher de bois franc est recouvert, au centre, d'un grand tapis tressé. On n'y trouve aucun fauteuil, mais de nombreuses chaises berçantes en bois garnies de coussins, aussi confortables les unes que les autres. Au milieu de la pièce, entourée de chaises à hauts dossiers, une grande table est recouverte d'une nappe de toile cirée dont les rayures brunes imitent assez maladroitement le bois du vieux piano adossé au mur de la cuisine. Suspendue au-dessus de la table, une lampe à pétrole, dont l'abat-jour de métal blanc renvoie un flot de lumière, permet aux enfants de lire et de faire leurs devoirs à leur aise. Le gros pupitre à plan incliné et à tiroirs multiples sur lequel Télesphore fait ses comptes complète ce modeste ameublement.

Après avoir desservi la table, lavé la vaisselle et rangé la cuisine, Gabrielle vient s'asseoir près de la fenêtre de l'est.

— Pourrais-je avoir la page féminine de *L'Action sociale catholique*, demande-t-elle à son père.

— Certainement, dit-il. Tiens! on a reçu la *Revue moderne* aussi.

Il la lui tend, en même temps que les feuilles détachées du journal. Puis, prenant une lettre, il ajoute:

— J'ai reçu la réponse du curé: le service anniversaire de votre mère sera chanté mardi prochain à neuf heures. Nous devrons prendre le *Local* lundi matin. Je vais le dire à Georges, au cas où il devrait me faire remplacer ce jour-là. Nous ne pourrons pas revenir avant mardi soir.

Il reste silencieux et pensif. Sans doute repense-t-il à la longue maladie de sa femme, à sa lente agonie et à sa mort prématurée.

Télesphore est aussi peu communicatif que sa fille. Comme elle, il ne sait pas dire des banalités. Sa conversation porte toujours sur des sujets sérieux, ce qui ne l'empêche toutefois pas de rire bien volontiers des facéties des autres. À trente-huit ans, il est bel homme : très grand et svelte, un large front couronné de cheveux châtains légèrement ondulés, des yeux très bleus, il a un air plutôt grave, un peu gênant même. Mais quand il sourit, ses traits s'adoucissent singulièrement. On le considère comme un homme sage et ses avis sont recherchés.

Junior a quatorze ans ; il ressemble à Alicia. On dit que les deux derniers sont « du côté de leur mère » : yeux noirs et cheveux foncés.

On a allumé les lampes. En cette saison, il fait encore jour au dehors à cette heure, mais on a besoin de plus de clarté pour lire. Télesphore déplace sa chaise pour se rapprocher du cercle lumineux. Il n'aime pas forcer sa vue dans la pénombre.

— Approche-toi, Gabrielle, dit-il. Tu t'arraches les yeux !

Au moment où elle se lève, Gabrielle voit venir Alexandra. Alicia est accrochée à son bras et elle sautille selon son habitude. S'approchant de la table, elle commence à remuer les lettres en essayant d'en deviner la provenance.

— Cesse donc de mêler mes papiers, lui dit Junior. Tu m'énerves !

Il termine ses devoirs et après avoir rangé ses effets, il suspend son sac d'écolier près de la porte de la cuisine. Junior est plutôt du genre paisible, comme son père et Gabrielle.

Alexandra est toujours accueillie avec joie.

— Viens te bercer, lui dit Télesphore. Pas trop longtemps, par exemple ; je veux t'entendre chanter.

La jeune fille rit en montrant une belle rangée de dents blanches. D'ailleurs, toute sa personne dégage un air de santé.

— Pour vous, monsieur Dumont, je pourrais chanter toute la nuit ! Vous savez si bien écouter.

Alexandra possède une superbe voix de soprano. Elle a longtemps rêvé de faire des études de chant mais elle semble y avoir renoncé depuis qu'elle est amoureuse d'Armand Brodeur.

Elle va au piano sans se faire prier. Elle aime chanter. Bientôt, sa voix s'élève et remplit la pièce : une voix qui pourrait atteindre les hautes voûtes des cathédrales. Elle chante « Le large océan », dont les paroles sont de Lamartine. À l'entendre, on a l'impression de voir la rivière devenir soudain cette « immensité des ondes sans repos » dont parle le poète romantique.

Gabrielle et son père écoutent religieusement, Junior fait une réussite et Alicia joue avec son chat Bruno.

Le concert improvisé ne dure pas longtemps, car on a l'habitude de se coucher tôt.

— Maman doit faire son savon demain et il faudra que je l'aide, dit Alexandra en se levant pour partir.

— Oh ! s'exclame Alicia en se frappant dans les mains, je vais aller passer la journée avec vous. J'aime bien ça, voir faire le savon. Ah, zut ! l'école !... Après l'école, alors.

— Tu viendras, dit Alexandra.

Puis elle rentre par le petit sentier qui longe le ruisseau. La lumière diffuse des lampes la suit à travers la fenêtre sans persiennes. On entend, dans la nuit qui descend, les notes cristallines des eaux du ruisseau et le clapotis léger de la rivière qui coule immuable au pied des montagnes endormies.

Après avoir reconduit son amie jusque sur la galerie, Gabrielle reste là, à contempler le ciel étoilé en écoutant ce qu'elle appelle « les murmures du silence ».

À cause de son air grave, on dit qu'elle ne ressemble pas aux jeunes filles de son âge. Ayant dû interrompre ses études à la mort de sa mère pour tenir la maison, elle s'acquitte de cette tâche de son mieux. Mais elle sait bien que son manque d'expérience et sa maladresse rendent son travail très imparfait et cela la peine profondément.

Lorsqu'elle n'est pas occupée à ses tâches ménagères, elle lit, étudie ou écrit de modestes essais littéraires qu'elle enfouit pudiquement entre les pages d'un vieux cahier, comme s'il s'agissait d'un secret honteux.

Elle est vibrante de cette sensibilité qui la fait communier aux merveilles de la nature. Elle ressent souvent, au fond de son être, l'allégresse qui s'accorde à la beauté des choses. Elle commence à découvrir le sens de la poésie qui l'habite, mais elle reconnaît son inaptitude à l'exprimer.

Gabrielle caresse un grand rêve dans le secret de son cœur : elle voudrait retourner aux études. Elle ne sait pas encore comment cela pourra se faire, mais son indomptable espoir lui en promet la réalisation.

La voix de son père lui parvient :

— As-tu l'intention de passer la nuit dehors, Gabrielle !

Elle rentre sans dire un mot, range la revue et les journaux qu'elle n'a pas eu le temps de lire et suit Alicia qui monte en bâillant à la chambre que les deux sœurs partagent à l'étage.

7

Anniversaire religieux

Ce matin-là, Télesphore et ses enfants montent à bord du *Local*. Comme il se doit, ils sont tous les quatre vêtus de noir. En ce début des années 20, le grand deuil est de rigueur, autant pour les enfants que pour les adultes. Il serait presque sacrilège de s'y dérober, surtout à la mort de la mère. La coutume exige un an de noir et un an de demi-deuil en blanc, gris ou violet. On pousse même la rigueur jusqu'à condamner un veuf ou une veuve qui oserait se remarier avant ce délai.

Les trois enfants de Télesphore, un peu guindés, ressemblent à des petites fourmis noires. Ils inspirent la sympathie sans le vouloir.

Le convoi longe la rivière sur presque tout son parcours. Assise près de la fenêtre à côté de Junior, Gabrielle ne se lasse pas de contempler le magnifique paysage qui change d'aspect à chaque tournant. Auprès de son père, Alicia s'agite. Quand survient le préposé au restaurant, elle commande tout ce qu'il offre. Télesphore lui achète une tablette de chocolat. Les deux autres n'ont pas faim, disent-ils.

Le voyage a duré trois heures. La tante qui les héberge paraît très heureuse de revoir son frère et les enfants. Elle a particulièrement soigné le menu du dîner.

L'église de la paroisse est située à trois milles de la gare. L'oncle a fait atteler son cheval noir au boghei neuf et Télesphore a loué un autre équipage. On part tôt car il faut voir le curé pour régler les frais du service de première classe. L'église est en grand deuil. Les larges fenêtres sont drapées de tentures noires, le prêtre porte des ornements sacerdotaux noirs et la parenté est vêtue de noir.

En quittant l'église, Télesphore glisse quelques billets dans la main de sa sœur en disant:

— Emmène donc les filles au magasin général. Essaye de leur trouver des petites robes pâles. Ça me crève le cœur, tout ce noir!

Gabrielle a choisi une robe en fine popeline d'un gris très pâle; la jupe a quatre plis plats à l'avant et à l'arrière. Le petit col claudine s'égaie de broderie blanche. La robe d'Alicia est mauve à minuscules fleurs blanches. La tante leur achète des petites blouses blanches et, voyant qu'il lui reste de l'argent, elle saisit deux chapeaux de paille.

— Tiens! Essayez-ça. Vous ne pouvez pas porter vos chapeaux noirs avec ces robes-là... Voilà! Et voici des bas de fil gris pour remplacer vos bas noirs.

Elle ajoute, en prenant un air complice:

— Ne montrez pas vos emplettes à Télesphore tout de suite; attendez à dimanche... Vous lui ferez une surprise.

Lorsque le train rentre en gare, ce soir-là, les membres de la famille éprouvent une certaine joie mal définie à retrouver leurs parents qui ont pour noms Alexandra, Alexandre et sa fiancée Janine, Henri, les jeunes Brodeur, les Ledoux et les Poirier.

Alicia approche de son beau-frère.

— Je m'en vais souper chez vous, moi. Tiens, dit-elle à Gabrielle, apporte mon paquet à la maison.

Pendant que Télesphore attend le courrier et que Junior s'attarde avec ses amis, la fille aînée se hâte. Le repas sera prêt à leur retour.

Gabrielle accomplit toute chose sans se poser de questions. Quand *l'événement* est survenu, elle a endossé la responsabilité de sa tâche comme une situation normale. Tout ce qu'elle a vu faire par sa mère et par sa sœur Laure, elle le fait à son tour. Elle se rappelle chaque geste, chaque attitude, chaque mouvement qui feront naître sous ses mains novices les modestes réalisations que les femmes des générations passées accomplissaient laborieusement. On ne lui a pas donné de leçons, elle n'a pas fait d'études. Elle a regardé agir les autres et elle les imite par souvenance. Et pourtant, elle n'est jamais sûre de rien ; elle doute constamment d'elle-même. Elle s'est inventé des modèles ; ou plutôt, elle en découvre qu'elle idéalise au point de les rendre inaccessibles à sa meilleure volonté.

Elle rêve, par exemple, de ressembler plus tard à madame Brodeur : une femme qui sait tout faire, à ses yeux. Elle trouve son amie Alexandra habile et débrouillarde et sa sœur Laure est pour elle une femme accomplie. Mais il y en a aussi une autre à qui elle voudrait ressembler. C'est Maria, la fille aînée du père Poirier, qui a dû, comme elle, prendre la direction du ménage à la mort de sa mère. Avait-elle déjà, alors, cette sagesse, cette maturité, ce jugement sûr que lui prête Gabrielle ?... Comment a-t-elle pu acquérir sur ses sœurs cette autorité douce qui n'est jamais contestée ? Alicia, par exemple, ne se plierait pas facilement à la volonté de sa sœur aînée.

Gabrielle se dit qu'elle ne doit pas avoir la bonne manière d'agir ; elle ne sait pas se faire aimer assez pour qu'on veuille lui faire confiance... Oui, ce doit être cela ! Combien de choses devra-t-elle apprendre encore si elle veut réussir sa vie ?

8

Les Poirier

La maison des Poirier est située à mi-chemin entre celles de Georges Maloin et d'Isidore Ledoux, mais de l'autre côté de la voie ferrée. Une haute clôture de planches blanchies à la chaux borde la cour et s'arrête juste aux abords escarpés de la rivière. Dans cet espace protégé, Maria cultive avec amour un petit jardin entouré d'une plate-bande de fleurs destinées à l'autel de la chapelle.

Vers le milieu de la matinée, en juin, quand il fait beau, elle confie aux jumelles, Émilienne et Rosita, le soin de surveiller la cuisson du dîner en entretenant le poêle à bois et elle s'en va au jardin.

Occupées à transplanter leurs plants de tomates, Maggy et grand-mère Pino l'ont aperçue et lui font un signe amical de la main.

— Bonne journée, Maria ! lui crient-elles.

Comme les maisons resserrées les unes contre les autres, des liens d'amitié profonde rassemblent les habitants du hameau et offrent l'image d'une famille étroitement unie.

Selon la mode du temps, Maria porte, sur sa robe en coton fleuri, un tablier en denim bleu foncé à rayures blanches, à large bavette et jupe froncée, dont la ceinture se noue au dos par une large boucle. Les filles du « père Poirier » (comme on dit ici) sont belles. Blondes, elles ont le teint rosé de leur père. Maria est grande et forte. Les verres à cercles dorés qu'elle porte à cause de sa myopie ne parviennent pas à dissimuler le charme et la douceur de ses yeux bleus. Comme à l'habitude, elle chante en travaillant : un cantique au Sacré-Cœur qu'on entendra ce soir à la chapelle, à l'heure de la prière.

Aujourd'hui, après avoir terminé ses semis de haricots et de betteraves, elle a ratissé les allées de son jardin : il y a autant d'ordre et de propreté ici qu'à l'intérieur de la maison. Levant la tête, elle aperçoit Sandy. Appuyé à la clôture, il a l'air de contempler une image sainte. Surpris de rencontrer le regard de Maria, il rougit avant de lui demander si « elle va bien ».

La jeune fille s'approche en souriant. Elle aime bien ce gros garçon débonnaire qui lui fait une cour aussi respectueuse qu'assidue.

— How are you ?

La conversation se poursuit en anglais pendant que Sandy remet à Maria un petit paquet qu'il a pris dans la poche intérieure de son blouson.

Surprise, la jeune fille hésite un peu avant de se décider à ouvrir la minuscule boîte. À son tour elle rougit à la vue de la chaîne et du médaillon en or que renferme un écrin en cuir noir. Elle est confuse. Elle ne sait que dire. Elle remercie avec effusion le garçon qui paraît fondre de bonheur en voyant la joie de son amie. Il lui explique la manière d'ouvrir le médaillon « en glissant l'ongle de son pouce sous le couvercle », là où s'insère une belle médaille scapulaire. Maladroitement, il dit son ignorance des choses religieuses en ayant l'air de s'excuser. « C'est parce qu'il connaît la piété de Maria qu'il a cru bon de choisir ce bijou-là. » Et pendant que la jeune fille emporte chez elle son précieux cadeau, abandonnant ses outils de jardinage, Sandy emprunte la pente douce qui mène à la maison de Maggy. Il se sent léger. Une douceur inconnue s'est insinuée tout au fond de son cœur. Il aime, et l'espoir d'être aimé l'habite. Il a l'impression de porter un secret aussi lourd que le monde.

À Assametquaghan, on vivait le bilinguisme bien avant la loi sur les langues officielles. Ce fait provient de sa situation géographique, à la frontière de deux civilisations. Du côté ouest, le hameau colle à des paroisses fondées et habitées par une population exclusivement francophone tandis qu'à l'est, en contact direct avec une province à majorité anglophone, il se heurte à des postes colonisés par des gens d'origine et de langue anglaises.

Vivant à l'est durant une grande partie de l'année, Sandy n'entend de mots français qu'en été. Pour cette raison, il n'a jamais pu apprendre la langue de son père.

Maria est heureuse mais son bonheur est mitigé. Elle sent bien cette inclination tendre qui la porte vers Sandy, mais sa religion la retient de s'y abandonner. Il faudra qu'elle demande conseil à monsieur le curé à la prochaine mission. Elle fera aussi bénir et indulgencier sa médaille. Elle tient à ce rituel liturgique à cause du symbole sacré qui s'ajoute à la valeur sentimentale du bijou. Elle ne le portera pas avant, explique-t-elle aux jumelles curieuses et légèrement excitées. Elle répète la même chose à son père et aux deux cadettes, Jeanne et Amélie, qui reviennent de l'école.

Maria sert toujours les repas elle-même. En revenant du jardin, tout à l'heure, elle a suspendu son tablier foncé à un clou près de la porte et elle s'est lavé les mains avant de revêtir le beau tablier en coton blanc empesé qui fait paraître si propres les ménagères de ce temps. Elle prendra sa place à la table quand toute la famille aura été servie. Chaque repas ramène le même cérémonial. Les jumelles enlèvent maintenant la vaisselle qui a servi, les cadettes s'en vont au jardin et le père, bien calé dans les coussins de sa chaise berçante, fume une dernière pipe en rêvassant avant de retourner à son travail.

Un long convoi de marchandises passe sans s'arrêter dans un vacarme de sirène et de ferraille qui se répercute au-delà des montagnes.

— Comme c'est curieux, dit Maria. On s'habitue à tout : on dirait que le train passe au milieu de la cuisine et il ne nous dérange pas plus que ça.

— C'était bien pire dans le temps de la guerre ! Tu t'en souviens, Maria ? Il en passait quasiment vingt par jour : des trains chargés de canons et de chars d'assaut et d'autres remplis de pauvres soldats. Que c'était triste !... Rosaire à Georges a été chanceux d'en revenir avec tous ses membres ; même s'il boitille un peu, c'est moins grave que de perdre une jambe... Puis il y avait sa blonde qui l'attendait...

— Saviez-vous, son père (Maria n'a jamais appelé son père « papa »), que le jeune ménage a maintenant deux enfants ? Je les ai vus dimanche dernier.

— Une fois partie, ça augmente vite, une famille, répond le père Poirier.

Sur cette irréfutable constatation du début des années 20, il se lève. Après avoir secoué les cendres de sa pipe dans le poêle en soulevant l'un des ronds en fonte avec la clef, il décroche son gros chandail de laine grise et s'en va rejoindre ses compagnons de travail.

Maria boit son thé à petites gorgées. Les jumelles ont commencé à laver la vaisselle et les cadettes sont retournées à l'école.

De la fenêtre de l'ouest, on voit Sandy détacher les amarres de son bateau, le pousser dans l'eau et traverser la rivière en ramant doucement vers sa maisonnette blanche dont les vitres brillent comme un grand feu de joie sous le soleil du midi.

Pour échapper à l'obsession de ses pensées affectives, Maria retourne au jardin. Tout en travaillant, elle fredonne le même air religieux. C'est comme une mélodie douce et nostalgique qui s'harmonise avec l'apaisant friselis de la rivière.

9

La mission

Assametquaghan n'est pas une paroisse : c'est une mission. Le curé de Beaurivage y vient une fois par mois, sur semaine, confesser les fidèles et dire la messe. Il arrive en après-midi, à bord du *Local*. Il loge et prend ses repas chez le chef de gare. Il procède aux cérémonies religieuses tôt le lendemain matin et s'en retourne à son presbytère par le train de l'avant-midi.

Des rares événements qui surviennent ici, la venue du prêtre est sans contredit le plus important. Durant la célébration des exercices religieux, la chapelle a priorité sur l'école. On ouvre alors les portes coulissantes qui, pendant les périodes scolaires, dissimulent l'estrade où est érigé l'autel, le confessionnal et la balustrade où l'on s'agenouille pour recevoir la communion des mains du prêtre.

Le jour de la mission est celui des grandes cérémonies. En sa qualité de sacristine chargée d'entretenir le linge d'église et les ornements sacerdotaux, Maria se surpasse. Ce matin, elle a orné l'autel de lilas cueillis dans son parterre : toute la chapelle en est parfumée.

À jeun depuis minuit pour pouvoir communier, les gens arrivent tôt. Le prêtre est au confessionnal et chacun y passe. Rasés de frais, les hommes ont revêtu leurs plus beaux habits. Quant aux femmes, elles font toujours toilette pour venir à la chapelle car c'est la seule occasion qu'elles ont de « s'endimancher. »

Madame Brodeur vient d'entrer et se dirige tout droit vers l'harmonium qu'elle touche avec une certaine maîtrise. À cause de la fraîcheur matinale, elle porte sur ses épaules un magnifique châle de laine blanche. Plutôt courte, des rondeurs fermes, très brune, elle coiffe ses longs cheveux en une tresse souple enroulée en chignon sur sa nuque. Ce matin, elle porte une petite toque en crin noir garni de minuscules fleurs mauves. On sait bien qu'à cette époque, il est interdit aux femmes de se présenter tête nue dans un lieu où sont exposées les Saintes-Espèces. Jeunes ou vieilles, elles sont donc toutes « chapeautées ».

Dans les grandes occasions, les femmes mariées s'habillent généralement de noir tandis que les jeunes filles portent des vêtements de couleur pâle. Les deux filles de Télesphore ont abandonné leurs tenues de grand deuil. Les robes et les chapeaux de paille neufs qu'elles ont mis ce matin leur ont fait perdre leur apparence austère. En entrant, Jean-Émile, le second fils des Brodeur, a jeté un regard vers Gabrielle, à la fois surpris et légèrement intéressé. La jeune fille n'a rien vu et s'en va prendre sa place dans le groupe choisi pour l'exécution des chants propres au cérémonial du jour.

C'est par le chant de l'*introït* que commence la messe.

Les voix que l'on entend ici suscitent l'admiration du curé. Il n'y en a pas d'aussi belles dans sa grande paroisse. Madame et monsieur Brodeur ainsi que Maria chantent bien et juste ; mais quand s'élève la voix d'Alexandra, pure et harmonieuse, l'assemblée en a des frissons. On lui demande donc de chanter les solos plus souvent qu'aux autres, pour la joie de tous.

La messe terminée, Alexandra aide Maria à tout remettre en place pour la reprise des cours, à une heure de l'après-midi.

Tout le monde a maintenant hâte d'aller déjeuner : on a faim. Puis les dames changent leurs robes de taffetas ou de broderies pour les cotonnades de tous les jours tandis que les hommes revêtiront leurs livrées de travail. La routine recommence.

Sous l'inspiration pieuse de madame Brodeur, la pratique religieuse ne se limite cependant pas à la messe mensuelle. Les parents de cette époque se font un devoir de transmettre à leurs enfants la foi qu'ils ont eux-mêmes reçue de leurs ancêtres. La foi indispensable à la conquête du paradis.

Tous les exercices religieux pratiqués dans les paroisses bien organisées suscitent ici une ferveur particulière. On ne laisserait passer ni un dimanche, ni une fête dite « d'obligation » sans venir à la chapelle pour célébrer ce qu'on appelle « une messe blanche ». On proclame la Parole : épître et évangile, on chante le Kyrie, le Gloria et le Credo en latin, comme le veut la liturgie du temps et on termine par la récitation du chapelet et le chant d'un cantique approprié à la dévotion du jour ou du mois.

Puis, il y a les mois privilégiés qui exigent la présence des fidèles à la chapelle pour la prière du soir. Tels sont le mois de mars, consacré à la piété envers saint Joseph, le mois de mai à Marie, le mois de juin au Sacré-Cœur-de-Jésus et le mois d'octobre au saint Rosaire.

À sept heures du soir, la chapelle se remplit. Habituellement, madame Brodeur préside à la récitation de la longue prière de son paroissien romain. Lorsqu'elle ne peut pas venir, l'institutrice la remplace et Alexandra touche alors l'harmonium.

On a ouvert les portes coulissantes, placé un petit bouquet et allumé un lampion au pied de la statue du saint qu'on doit honorer et tout se déroule aussi cérémonieusement qu'en la présence du curé.

Grand-mère Pino est toujours la première arrivée à la chapelle. Elle a tant de prières à adresser au Tout-Puissant pour sa nombreuse descendance dispersée aux quatre vents! Les écoliers sont tous là, rassemblés par les soins de *Mademoiselle*. Pour les plus grands, jeunes filles et jeunes hommes, la prière est autant un bon motif de sortie qu'une belle occasion de rencontres. Ils reviennent ensemble, main dans la main, pendant que les enfants se bousculent en riant, courent en tous sens et finissent par regagner leur foyer à l'appel de leurs mères.

Sur la rivière, en contrebas des falaises, un grand bateau glisse silencieusement dans le soir qui descend. La silhouette sombre de Sandy fait corps avec l'embarcation. Le gardien commence sa ronde de nuit.

On a vu Maria chercher instinctivement, au fond de la poche de sa jupe, le chapelet en cristal noir de sa défunte mère. Elle en caresse pieusement les grains.

10

Les visiteurs du dimanche

Chaque fin de semaine, de nombreux visiteurs viennent à Assametquaghan.

Vers la fin de l'après-midi du vendredi, on voit descendre du train de l'ouest la fiancée de Jean-Émile. Vive, rieuse, vêtue à la dernière mode, Lucy se jette au cou de son ami qui, après l'avoir embrassée, la guide galamment vers la gare où l'attend la famille Brodeur. L'ayant depuis long-temps adoptée comme l'une des leurs, Lydia et Alexis l'accueillent toujours très chaleu-reusement.

Le samedi matin, Janine, la petite amie d'Alexandre, Édouard Poirier, sa femme et leur jeune bébé, de même que la sœur d'Isidore Ledoux, Angéline, s'amènent à leur tour par le train de l'est. Ils sont toujours certains d'être accueillis par quelqu'un de leur parenté.

Ces gens qui viennent d'ailleurs apportent avec eux une bouffée d'air des grandes plaines qui sent la fécondité de la terre, les champs d'avoine et l'encens des églises. Ils comblent les besoins de distractions et d'évasion que ressent parfois ce petit monde aux horizons fermés. Ils véhiculent les potins familiers et les nouvelles intimes qui ne paraissent pas dans les pages des journaux. Aux dernières chansons connues et aux pas de danse moderne qu'on apporte, il faut ajouter les nouvelles de la mode, vestimentaire ou autre, qu'on aime connaître même si on est bien loin d'en suivre les exigences. C'est de cette façon que la population du hameau peut s'ouvrir à la civilisation d'après-guerre qui s'est implantée dans les grandes villes.

Le dimanche, la chapelle se remplit. Dans les familles où il y a de tout jeunes enfants, les femmes de la maison gardent à tour de rôle. Le dimanche est aussi le jour des repas élaborés. Les ménagères aiment bien faire état de leur savoir-faire devant leurs visiteurs.

Aujourd'hui, jour de repos pour les hommes, chacun emploiera les heures qui viennent à sa convenance. Réfugié dans la petite pièce qui lui sert de bureau, Georges Maloin lit paisiblement *La Gazette* en prenant un verre. Comme à l'habitude, il videra la bouteille de whisky qu'un employé du *Local* lui a apportée comme à tous les samedis. Le soir venu, tout rouge et congestionné, il gagnera sa chambre sans penser à prendre son repas. À quelques reprises, discrètement, Maggy entrebâille la porte afin de se rassurer sur l'état

74

de santé de son mari. Elle veille attentivement sur lui comme sur un enfant malade qui aurait besoin de ses soins. Puis elle va au jardin où il y a toujours quelques petits travaux à faire. En passant devant grand-mère Pino qui récite son chapelet, assise sur la galerie, elle ne manque pas de lui demander d'en dire « une dizaine pour Georges ».

Dans la famille, chacun connaît la faiblesse du père mais tous simulent l'ignorance, par respect pour son autorité. On sait bien, par ailleurs, qu'en dépit d'un malaise certain, il sera le premier levé demain matin pour aller prendre la tête de son équipe de travailleurs. S'il se montre parfois taciturne et grognon, personne n'y attache de l'importance. Ici, chacun use de sa liberté à son gré sans léser celle des autres.

Les jumeaux profitent de cette journée pour rejoindre les jeunes Brodeur au bord de la rivière. Ils y construisent des petits radeaux qu'ils font naviguer au bout d'une ficelle ; ils fabriquent des sifflets, attrapent des jeunes grenouilles et se baignent nus dans l'eau courante, à l'abri des talus et des aulnes. Ici, les enfants ne s'ennuient pas le dimanche.

Armand Brodeur se promène avec son frère Jean-Émile qui tient sa fiancée par la main. En passant, il fait un signe de la main amical à Alexandra qui, s'attardant sous les lilas, attendait vraisemblablement ce geste. Les deux couples d'amoureux se forment et Alexandre et Janine viennent les rejoindre en riant et en plaisantant.

Ils entreprennent une longue marche le long de la voie ferrée. Ils s'arrêtent ensuite sur le versant que forme plus loin l'écartement des montagnes, pour cueillir et manger les petites fraises sucrées qui y abondent. Ils s'assoient dans l'herbe, se disent des mots tendres et se font des promesses « pour toujours ».

L'ombre des monts caresse les têtes rapprochées, les oiseaux chantent et pépient à la lisière de la forêt, la rivière miroite sous le soleil qui brille. L'air est saturé de bonheur.

On dit souvent que certaines personnes possèdent plus que d'autres une aptitude pour le bonheur. Ce don capricieux leur vient sans qu'elles aient à le courtiser. Il y a aussi des lieux qu'on dirait favorables à cet état de bien-être : bonheur tout palpitant de l'espérance et de l'attente, bonheur apaisé des longues vies partagées, bonheur tout neuf des étés qui éclosent. Tous ces bonheurs semblent naître et s'épanouir dans ce hameau perdu.

Pour Henri Maloin et Laure, c'est le seuil d'un bel été : une saison chaude de tendresse égayée par la présence de leur petite Thérèse et l'espérance d'une vie nouvelle qui sera bientôt là.

Chaque dimanche, la jeune famille rend visite à Télesphore. Laure aime beaucoup son beau-père qui fut le second mari de sa mère. Elle se rappelle encore avec émotion combien il s'était montré généreux envers la petite orpheline qu'elle était. Dès que le veuf les voit entrer, il délaisse sa lecture et tend les bras vers Thérèse qui s'y jette avec fougue. Frappant alors des pieds en cadence sur l'air léger qu'il fredonne, Télesphore la fait danser jusqu'à essoufflement.

— Où sont les jeunes ? demande Laure.

— Junior est allé pêcher dans le ruisseau, répond Télesphore ; Alicia doit jouer avec les petites Ledoux — je l'ai vue aller de ce côté-là tout à l'heure —, et Gabrielle est dans sa chambre. Elle ne devrait pas tarder à descendre.

On entend ses pas rapides dans l'escalier.

— Je vous ai vus venir, dit-elle aux visiteurs. Comment va ma belle nièce frisée ?

En même temps, elle prend la jeune Thérèse dans ses bras.

— Viens dehors avec « ma tante Gabrielle ». Nous irons voir couler le ruisseau. J'ai une surprise pour toi : un beau petit nid avec des jeunes oiseaux dedans. Tu verras comme ils sont mignons. Mais il faudra faire attention pour ne pas effrayer leur maman. Chut !...

Gabrielle met un doigt sur ses lèvres et l'enfant imite son geste.

Restés seuls, Télesphore et le jeune couple engagent la conversation sur le travail quotidien, sur le temps qui se maintient au beau, sur la grossesse de Laure et les fatigues causées par la chaleur de l'été, sur les amours de la jeunesse...

— C'est curieux, dit Laure, on dirait que Gabrielle ne veut pas vieillir. Il me semble qu'à son âge, je m'intéressais déjà aux garçons. On dirait qu'elle vit dans un autre monde.

Télesphore est devenu songeur. Il n'est pas certain de bien connaître sa fille.

— Je pense, dit-il enfin, que tu as en partie raison, Laure. Gabrielle n'a qu'une idée en tête : compléter ses études...

Puis il se tait.

Il connaît l'attachement de son aînée pour le charme mystérieux des montagnes, de la rivière, du ruisseau. Il l'a souvent surprise en contemplation devant la nature sauvage qui fait corps avec les modestes habitations du hameau. Quand il la voit s'attarder devant une fourmilière, un nid d'hirondelles ou le vol d'une libellule, il se demande si ce culte un peu exagéré de la nature ne relève pas d'une inconsciente notion païenne du beau.

— Oui, dit-il — et l'on sent qu'il a parcouru des yeux le champ pendant ses laborieuses réflexions — il faudra peut-être trouver les moyens de lui faire compléter ses études, car les aspirations de Gabrielle s'élèvent plus haut que nos montagnes ; elles s'élancent vers de vastes horizons.

Laure soupire. Elle ne comprendra jamais sa jeune sœur. Télesphore, quant à lui s'y emploie de son mieux.

11

Quand naît l'espoir

Chez les Poirier, la visite du frère aîné est toujours un événement joyeux. Après un excellent dîner, pendant que les femmes rangent la maison, le père et le fils s'installent pour fumer leur pipe. Quand ils ont épuisé les nouvelles de la semaine, ils entament quelques parties de dames qu'ils gagnent à tour de rôle.

Roses de plaisir, pimpantes dans leurs jolies robes en coton blanc brodé, les jumelles se promènent sur la longue plateforme en bois qui longe la gare et ses dépendances en compagnie de leurs petits amis.

— Salut les amoureux ! leur lancent Jeanne et Amélie.

Tous les dimanches, quand il fait beau, l'arrière-cour de la maison d'Isidore, avec la balançoire et le jeu de croquet, est le rendez-vous des écoliers en vacances. Ce jeune monde chante, rit, crie et se chamaille parfois, sans parvenir à déranger les parents qui profitent de cette journée pour se reposer, sûrs que leurs plus vieilles, Laurette et Julienne, prendront bien soin des petits.

Maria et sa belle-sœur ont décidé de sortir pour prendre un peu d'air en visitant le jardin.

— Le temps est propice au jardinage cette année, remarque Blanche, la femme d'Édouard.

— Oui, reprend Maria. Quand vous reviendrez, les radis seront prêts à manger... C'est une bien belle journée! ajoute-t-elle.

Elle soupire en jetant un coup d'œil furtif vers la maison des Maloin. Elle n'ose pas encore se l'avouer et elle ne voudrait surtout pas qu'on devine son secret. Elle s'attarde, elle attend et au moment où le bébé de Blanche réclame sa mère à grands cris, elle *le* voit venir.

Depuis qu'un certain espoir l'habite, Sandy a pris l'habitude de venir rencontrer Maria dans son jardin quand il fait beau. De la maison de Georges, où Maggy lui sert tous les jours le dîner, il n'y a que quelques pas à faire : descendre la pente douce au sortir de la cuisine, traverser la voie ferrée, et c'est le jardin de Maria.

Elle est là, appuyée à la clôture, plus jolie que jamais. Elle porte au cou le médaillon que lui a donné Sandy. Elle l'a fait bénir à l'occasion de la mission. Le gardien en a le cœur tout réchauffé et il ne peut s'empêcher de lui dire combien il la trouve belle.

80

— Sweetly pretty !

Le compliment rend la jeune fille muette. Elle est plus à l'aise dans les conversations sérieuses : il y a si longtemps qu'elle doit jouer la mère de famille !

Sandy lui-même est peu loquace. On le croirait en contemplation.

Aujourd'hui, Maria doit parler. Elle a demandé conseil à monsieur le curé et elle sait maintenant ce qu'elle doit faire. Elle sent monter en elle une joie sereine à la pensée qu'elle peut s'abandonner, sans trahir sa conscience de bonne catholique, au penchant tendre qui l'incline vers Sandy.

Monsieur le curé a eu de très belles paroles pour lui faire comprendre qu'elle sauverait sans doute l'âme du gardien en l'épousant. Il reviendrait à la pratique de la religion de son baptême. Ce n'est pas seulement une union conjugale qu'elle envisage ; elle a l'impression de partir en croisade. Et cette pensée ajoute une dimension nouvelle à son amour naissant. Elle a l'habitude de s'oublier pour son père, pour sa famille ; elle ne s'est jamais posé de questions à ce sujet. Aujourd'hui, c'est différent : l'oubli d'elle-même revêt à ses yeux une certaine forme d'apostolat. Elle se croit chargée d'une mission. Elle rêve de dévouement paré de tendresse, de vie harmonieuse et calme. Oui, elle fera encore un jardin ; et comme ce sera beau de voir courir dans les allées des enfants blonds qui riront, joyeux et qui parfois se chamailleront, peut-être... Mais Sandy sera à ses côtés, patient, doux, toujours prêt à calmer les turbulences... et si tendre! Bien sûr, elle devra quitter sa famille; mais les jumelles sont capables de prendre la relève maintenant. Elle les a bien initiées à toutes les tâches ménagères.

Maria sourit à son rêve, Sandy sourit à Maria.

Il ne comprend pourtant pas encore cette allégresse qui l'habite depuis l'instant où il a cru saisir une douceur nouvelle dans le sourire de la jeune fille. Il l'imagine déjà régnant dans la grande maison qu'il fera construire pour elle: une maison pleine de soleil, égayée par la présence de beaux enfants qui ressembleront à Maria. Rien ne sera trop bien pour la femme qu'il aime. Il se sent soudain plus fort.

L'espace d'un instant, Maria laisse errer son regard sur le jardin, sur la maison et ses dépendances, comme si elle voulait imprimer dans la mémoire toute chaude de son cœur les souvenirs de sa laborieuse jeunesse. Puis elle regarde Sandy. Elle le trouve beau, ainsi attiré vers son espoir, comme en attente d'une heureuse révélation.

Maria se décide enfin à parler.

— Si vous le voulez bien, dit-elle, je vous accompagnerai jusqu'au bateau. Nous parlerons en marchant.

Le gardien n'est plus certain d'être encore sur la terre. Il se sent si près du ciel!

Maria lui raconte son entrevue avec le curé. Elle lui fait part de la condition exigée par le prêtre : « Le retour à la foi catholique du fils de l'Acadien ». Puis elle exprime sa joie d'avoir l'accord de son père.

— À l'avenir, ajoute-t-elle, vous pourrez venir me voir à la maison tous les dimanches.

Sandy a peine à croire à son bonheur. Lui, si fort, si sûr de lui habituellement, il se sent comme un enfant démuni devant tant de joie. Il se dit d'accord avec les exigences du prêtre et, si Maria le veut bien, il sera heureux de recevoir ses premières leçons de catéchisme de celle qu'il considère déjà comme sa fiancée.

— L'automne prochain, dit-il, lorsque j'aurai terminé mon temps de garde, j'irai rencontrer les Pères de la paroisse catholique de Moncton. Et il ajoute qu'en attendant, il aimerait bien assister à la mission avec Maria quand le curé reviendra.

Descendant à petits pas la pente qui mène à la grève, l'un à côté de l'autre sans se toucher, ils s'arrêtent un moment au bord de la rivière dont les vagues chantantes accompagnent la joie de l'heure qui passe. Timide, rougissant comme un collégien pris en faute, Sandy tend à Maria une main tremblante et moite. La jeune fille y dépose la sienne et il lui baise dévotement le bout des doigts. Puis il se retourne paisiblement pour détacher son bateau qu'il pousse dans l'eau.

— Good bye, dear, dit-il avant de s'éloigner.

— À bientôt, répond Maria.

Puis elle remonte lentement la pente, portant au creux de son cœur un bonheur tout neuf qui l'éblouit et qu'elle ne sait pas encore apprivoiser. Elle rejoint les siens qui l'attendent, tous réunis dans la grande cuisine. Maria n'est pas surprise : elle sait que le père a parlé. Dans cette famille, personne n'a de secret pour personne.

Blanche se hasarde à faire une remarque :

— Ça ne te fera rien, la belle-sœur, d'épouser un Anglais ?

Il semble que la joie de Maria s'estompe. Elle regarde son père, comme pour chercher un appui à son rêve, et c'est lui qui réplique de sa voix lente et posée :

— Voyons, Blanche, tu sais bien que Sandy n'est pas un Anglais ! Les Leblanc sont acadiens comme nous, les Poirier et les Maloin. Ce n'est pas de sa faute s'il n'a jamais pu apprendre à parler français ; il a toujours habité chez les Anglais.

Blanche regrette déjà les paroles qu'elle a laissé échapper un peu légèrement. Maria sait bien qu'elle n'est pas méchante et l'intervention de son père l'a fait remonter sur sa planète heureuse. Rassérénée, elle offre maintenant une collation :

— Une bonne pointe de tarte aux pommes et une tasse de thé, avant de prendre le *Local*, ça va vous faire du bien !

Elle allume le poêle — juste une petite attisée pour faire bouillir l'eau et réchauffer les tartes — puis, une fois son monde installé autour de la table, elle sert elle-même.

— Tenez, son père, la première pointe est pour vous.

C'est toujours lui qu'elle sert en premier. Et ce respect qui lui est acquis le comble d'aise. Il a eu une bonne femme et elle est partie trop jeune à son gré, mais il a aussi de bonnes filles.

Après toutes ces années de veuvage, son chagrin a fini par s'émousser. Ce soir, confortablement assis dans sa berceuse, il garde de longs moments de silence en fumant sa pipe. Il évoque son passé. Au milieu des volutes de fumée bleue qui montent autour de lui, il croit voir danser les fantômes aimés de sa jeunesse pendant que Maria joue un petit air d'harmonica. Soudain inquiète, la jeune fille cesse de jouer et demande :

— À quoi vous jonglez, donc, son père ?

Il égrène alors un chapelet de souvenirs qui font rêver ses filles.

— Tu sais, j'étais en train de penser au temps où je travaillais à la construction du chemin de fer de l'Abitibi... Ta mère était là, vous étiez jeunes...

Il est bien loin, ce temps-là ! Maintenant, le père Poirier demande peu à la vie. Son travail journalier assure largement la subsistance des siens et les réunions familiales du dimanche rassemblent tous ses enfants autour de lui. Dans une heure, en compagnie de Maria, il ira reconduire son fils et sa famille au train, puis il reviendra terminer paisiblement la soirée comme d'habitude.

Au retour, avant de franchir la porte, Maria a embrassé la rivière et la maisonnette du gardien d'un long regard. On ne voit pas le bateau de Sandy. Il a certainement commencé sa surveillance de nuit. Maria soupire. Elle ne comprend pas cette angoisse qui l'étreint chaque soir lorsque Sandy s'en va seul dans son bateau, au seuil du crépuscule qui s'épaissit d'instant en instant.

La rivière paraît si rassurante ! Après avoir effleuré la cime des monts, les derniers rayons du soleil éclaboussent une dernière fois ses eaux réchauffées avant de glisser lentement derrière les masses montagneuses que la nuit engloutit. On entend encore, dans l'air apaisé, la ritournelle du pinson. Puis la grande paix des crépuscules descend sur le hameau.

Sandy est seul dans son bateau plat, quelque part sur la rivière.

12

La cueillette des « bleuets » et les Micmac

Chaque année, au mois d'août, revient le temps de la cueillette des myrtilles. À cette époque, les sous-bois deviennent magiquement bleus. Les petits fruits, qu'on appelle ici « bleuets », ont alors atteint leur maturité. Dans cette région, ils sont gros comme des noisettes.

Il n'y a pas de passe-temps plus agréable pour les écoliers en vacances que la cueillette des bleuets. On part en bandes de six ou sept garçons et filles munis de grands seaux en métal léger qui peuvent contenir au moins vingt livres de fruits. Chaque cueilleur porte en plus, attaché à sa ceinture, un petit récipient qui laisse les mains libres pour la cueillette.

Le seau couvert est déposé au pied d'un arbre bien identifié, puis on se disperse pour la cueillette.

Sous la feuillée des grands arbres arrive enfin l'écho des appels au rassemblement :

— Hou-hou ! Alicia, Junior, Amélie, où êtes-vous ? Vos contenants sont-ils pleins ? Venez les vider dans le seau avant de les renverser !

Il y a toujours un responsable de la discipline du groupe. Le plus souvent, il s'agit d'Alexandra ou de l'une des jumelles Poirier.

Le midi, assis en rond au bord du ruisseau dont on boit l'eau limpide, on se régale de tartines beurrées et de bleuets juteux. Puis la cueillette recommence jusqu'au remplissage à pleins bords des seaux.

L'étape la plus difficile de l'expédition reste toujours la descente de la montagne avec les seaux pleins de bleuets qu'on ne doit pas renverser. On se met à deux pour les porter, chacun tenant l'anse de son côté. Le mont est tellement escarpé qu'on doit marcher du talon en s'agrippant aux aspérités du sol, le dos arc-bouté, presque au ras de la terre. Si on se met à courir, on ne peut s'arrêter qu'en se laissant tomber en travers des sentiers broussailleux.

Chaque été, une fois complétées les provisions domestiques, les enfants peuvent disposer du surplus à leur gré. Toujours preneur, monsieur Brodeur achète les fruits pour les revendre au conducteur du *Local* qui les revend à... on ne sait qui. On est cependant certain que chacun y trouve son petit profit.

Si les enfants n'en font qu'un jeu, il n'en est pas de même pour les Indiens Micmac.

Tous les ans, à ce temps-ci de l'année, on les voit descendre de l'*Accommodation* avec leur équipement: ustensiles et batterie de cuisine, couvertures, canot et tente qu'ils montent en un rien de temps, juste à côté de la maisonnette de Sandy, sur l'autre versant de la rivière.

Pendant que Sam et sa fille Mary-Ann vont cueillir les fruits qu'ils vendront le soir au chef de gare, la vieille mère de Sam, Mary, ne quitte à peu près jamais la tente et ses abords. Le teint gris, le visage aussi ridé qu'une pomme cuite, Mary paraît très âgée; mais ses mains sont agiles comme papillons en vol. Accroupie à l'ombre de la tente sur une vieille natte de laine grise, elle fabrique à longueur de journée des corbeilles de jonc de toutes grandeurs, des mocassins et des babouches en cuir qu'elle garnit patiemment de perles aux couleurs vives. Elle s'arrête quelquefois pour tirer une bouffée d'une pipe ébréchée bourrée d'un tabac fort et malodorant. Ne connaissant pas l'heure des Blancs, elle suit la marche du soleil, ce qui lui permet de ranger à temps son matériel et de rentrer préparer le feu sur lequel mijotera une sagamité dont la recette est aussi mystérieuse que l'origine de ce peuple nomade.

À regarder agir cette vieille femme taciturne et le plus souvent muette — elle ne parle ni l'anglais ni le français —, on ne l'imagine pas esclave de cette faiblesse qu'on n'attribue généralement qu'aux hommes. N'empêche que tous les lundis (pourquoi ce jour-là ?) Mary se réveille en proie à une irrésistible soif. Une soif telle que seul un bon quarante onces de scotch étanchera.

On voit alors Sam ou Mary-Ann traverser la rivière à grands coups d'aviron pour aller quérir, dès l'arrivée du *Local*, le colis bien emballé à l'épreuve des chocs qui contient la bouteille que la vieille attend impatiemment.

Aujourd'hui, on dirait que l'esprit de Mary décroche de la réalité. Il n'est plus question pour elle de corbeilles à lacer, de babouches à broder, ni même de sagamité à préparer. Lorsqu'elle aperçoit la bouteille déshabillée de son emballage, ses mains ne ressemblent plus à des papillons volants. Ce sont de très vieilles mains ridées et tremblantes qui se tendent avidement, comme celles d'un bébé affamé devant le premier biberon du matin.

Aux yeux de Sam et de Mary-Ann, la vieille mère est redevenue une petite fille fragile qu'il faut entourer d'attentions particulières. Ils l'assoient sur sa natte, dans la tente, l'entourent d'oreillers, placent la bouteille entre ses vieilles jambes, en s'assurant qu'elle ne puisse se renverser. Afin de contrer toute distraction de la part de Mary, ils lui enlèvent sa pipe et ses allumettes. D'ailleurs, ils savent bien qu'elle n'aura pas le goût de fumer aujourd'hui. L'ayant finalement embrassée sur le front, ils la quittent sans bruit.

En abaissant le rideau de toile qui ferme l'ouverture de la tente, Sam jette un dernier regard attentif à sa mère. Il sait pourtant que celle-ci ne voit plus rien d'autre que l'alcool ambré qui lui fera entrevoir, jusqu'au lendemain, le paradis promis par le Grand-Esprit.

Sandy fut souvent le témoin étonné de tant d'amour filial. Il parle avec admiration du respect extraordinaire que ce peuple témoigne à ses aînés. Durant la journée, il vient de temps en temps se rendre compte de l'état de Mary. En rangeant la bouteille vide, il s'aperçoit que la vieille dort maintenant paisiblement. Il lui couvre les épaules d'une légère couverture et la laisse à ses rêves heureux. De son pas égal, il descend vers la rivière, pousse son bateau dans l'eau et rame jusqu'à l'autre rive.

Chez Maggy, il ne fait pas la moindre allusion à la cuite hebdomadaire de la vieille Indienne. La population du hameau, mêlée de Québécois, d'Acadiens, d'Écossais et de gens venus de partout a su développer le sens du respect de l'autre qui permet à chacun de vivre en paix.

— Quand chacun se mêle de ses affaires, tout va bien, dit souvent Georges.

Maggy l'approuve, elle qui a l'esprit aussi large que le cœur.

Vers la fin du mois d'août, un petit air d'automne, avec ses odeurs de moissons engrangées et de feuilles jaunissantes, commence à s'insinuer au ras des montagnes et recouvre la rivière d'un éclat particulier. L'éphémère luminosité des choses nous apparaît si fragile qu'on voudrait la retenir entre nos mains. On voudrait pouvoir prolonger le temps. On se sent avide d'éternité.

Les journées raccourcies obligent déjà les cueilleurs de bleuets à commencer plus tôt le matin la récolte des derniers fruits de la saison.

Dès que s'infiltrent au cœur de la forêt les premiers rayons du soleil levant, Sam et Mary-Ann escaladent la montagne avec leur attirail de seaux et de «cassots» d'écorce. Quand ils reviennent, chargés comme des mulets, ils sont si habiles dans leur démarche en plein bois que pas un fruit ne se perd de leur abondante récolte. Au retour, Mary-Ann ne manque jamais d'aller porter à Sandy un plein cassot de bleuets triés. Le gardien, comblé par ce geste d'affection sincère, ne se laisse jamais vaincre en générosité. Son patron lui a fait cadeau d'un beau saumon, la nuit dernière. Ce poisson ira garnir la prochaine sagamité de la famille, quand Mary y mettra la main.

On devait se rappeler longtemps cette fin d'été 1922.

Par un beau lundi, Sam et sa fille avaient quitté la tente au petit jour. Est-ce l'ambition de réussir leur dernière cueillette qui leur fit oublier l'heure du passage du *Local* et la soif de Mary ?... On ne devait jamais le savoir.

En proie à son insupportable supplice, la mère avait commencé par scruter les abords des sentiers de la montagne et, ne voyant personne venir, elle avait vite pris la décision d'aller chercher elle-même son précieux élixir. En Indienne de bonne race, elle se sentait parfaitement capable de pagayer sur l'eau tranquille de cette rivière amie.

Un jeu d'enfant! Pour l'aller, du moins...

Après le passage du train, la femme de Georges l'avait vue venir. Son colis serré entre ses bras, Mary témoignait d'un contentement béat. Son vieux visage plissé reflétait cette sorte de transport émoustillé que certains ressentent à l'appel du plaisir. Maggy l'avait perdue de vue dans la descente du sentier de la traverse.

L'arrivée en trombe de Junior et des jumeaux devait éveiller son inquiétude. En mots hachés et faisant des efforts pour reprendre leur souffle, ils parlaient tous les trois en même temps.

— On a vue la vieille sauvagesse. Elle est tombée là, en bas du talus. Elle est pas belle à voir!

— Mon Dieu! s'exclame Maggy, allons vite à son secours!

Grand-mere Pino ramasse des serviettes et la bouteille d'eau bénite qui ne la quitte jamais dans les circonstances tragiques, Alexandra apporte un seau d'eau tiède et Maggy l'alcool camphré qu'elle croit apte à ranimer les moribonds. Et l'on accourt à l'endroit indiqué par les trois garçons.

Le spectacle n'est vraiment pas réjouissant!

93

On imagine facilement que Mary, en possession de son eau-de-vie, n'a pas pu résister à l'envie d'en boire une lampée avant d'entreprendre la traversée de la rivière... Et d'une lampée à l'autre, sa tête s'alourdissant, elle a basculé en bas du talus. Il semble bien que les arbrisseaux, très denses à cet endroit, aient amorti sa chute, car ses ronflements sonores ne sont pas indices de sommeil éternel.

Elle a vomi. Un essaim de mouches bourdonnantes danse une joyeuse sarabande autour de la vieille. Pris de nausées, les garçons se sauvent en courant.

Alertes et vives, grand-mère Pino et Alexandra ont dévalé le talus. Chassant les mouches à coups de serviettes, elles lavent le visage de Mary avec beaucoup de soin, refont sa longue tresse grise et Maggy rabat pudiquement les jupons qui, après la mauvaise chute de l'Indienne, laissaient peu de place à la décence.

Mary ouvre enfin les yeux. Grand-mère Pino estime que les quelques gouttes d'eau bénite jetées dans le seau ont produit ce miracle. La vieille tente de se redresser, retombe sur son séant, recommence de nouveau et finalement, avec l'aide des femmes blanches, elle parvient à se hisser sur le bord du talus. Elle s'adosse à une souche lisse et Maggy lui frictionne le front et les membres avec de l'alcool pendant que l'Indienne paraît chercher quelque chose autour d'elle en se prenant la tête à deux mains.

— C'est vrai, dit Maggy, son chapeau ! Elle avait un chapeau.

Levant les yeux, elle éclate de rire. Le vieux chapeau de paille noire de Mary se balance doucement au bout d'une branche de merisier. Comment a-t-il pu s'y accrocher ? Mystère. Une grappe de petits fruits rouges posée sur le rebord racorni du chapeau lui fait une décoration excentrique et ridicule.

L'aspect le plus intrigant de l'aventure réside dans l'indifférence manifeste de la vieille envers sa bouteille de scotch vide qui gît en bas du talus. Sa soif est assouvie.

Brisant le silence qui s'est établi autour de la vieille Indienne au visage fermé, on entend soudain un bruit de rames battant la rivière. Puis on n'entend plus rien et deux visages inquiets apparaissent. Dans une langue incomprise des Blancs, on se parle, on se rassure avec les plus douces intonations du monde. Sam entoure sa mère de ses bras musclés et, la soutenant avec une étonnante tendresse, il l'aide à descendre jusqu'au bord de la rivière. Après l'avoir assise avec précaution au fond du bateau plat de Sandy, il commence à ramer pendant que Mary-Ann les suit en pagayant dans leur canot d'écorce.

Pendant un bon moment, les trois femmes blanches suivent du regard le sillage des bateaux. Grand-mère Pino priait peut-être ?... Maggy parla la première :

— Je me demande bien si mon Georges et mes enfants en feraient autant pour moi dans les mêmes circonstances ?

— Voyons, maman, rétorque Alexandra, vous savez bien que ça ne pourra jamais vous arriver !

Il faut maintenant se hâter pour aller préparer le dîner.

Le temps des bleuets est bien fini. Les Micmac ont repris l'*Accommodation* pour retourner dans leur réserve où ils chasseront le gibier pendant l'hiver.

Avec le départ des Indiens, le dernier pan de l'été s'est refermé. La vie ne sera jamais plus la même. Au fil du temps, des amours se sont tissées qui créeront des activités nouvelles. La vie n'est jamais immuable.

Pour les jeunes garçons et filles du hameau, l'été a passé comme passent les illusions de la jeunesse. On vivait pleinement le présent sans se poser de vaines questions sur les jours à venir. Chacun avait l'air de ramasser le bonheur à pleines mains.

Les enfants s'amusaient follement. Les parents accueillaient avec une inconsciente philosophie la sérénité d'une existence sans problèmes. La vie paisible se reflétait dans l'eau tranquille de la rivière qui coulait inlassablement au pied des montagnes. Oui, c'était le bon temps.

13

L'amour toujours présent

Hier, on a fêté les dix-huit ans d'Alexandra. En changeant un seul chiffre de son âge, elle a l'impression d'avoir beaucoup vieilli. Amoureuse, elle n'entrevoit toujours pas le jour bienheureux de son hymen. Elle se croit vouée à un perpétuel célibat.

Les jumeaux ne manquent jamais une occasion de dire que leur mère fait plus de frais pour sa fille que pour ses garçons. En fait, Alexandra a reçu de nombreux cadeaux. Le plus précieux est une broche en nacre montée sur or qu'Armand lui a offerte. Il l'a lui-même épinglée à son corsage rouge. Sur son teint chaud de brune, l'effet est splendide. N'empêche qu'Alexandra aurait certes préféré une bague de fiançailles...

Armand n'est pas prêt pour l'engagement conjugal. En tant que télégraphiste itinérant au chemin de fer, il attend sa nomination comme titulaire régulier d'une gare. Alors seulement, il pourra songer à épouser Alexandra.

Dans ce hameau resserré entre les montagnes, la jeunesse est vouée à des amours précoces. Seule la sage Maria paraît échapper au sortilège. Depuis ses aveux à Sandy, elle peut le voir tous les dimanches.

Invité par le père Poirier, le gardien arrive tôt le matin pour profiter de la chance d'accompagner Maria à la chapelle. Quand il la voit monter au chœur pour garnir l'autel de fleurs fraîches ou allumer les cierges, il la suit d'un regard tendre qui ne trompe personne. Quand elle chante, il l'écoute comme en extase. Pour lui, le chant des anges du paradis n'est sûrement pas plus harmonieux. Ils reviennent ensemble de la cérémonie en se parlant à voix basse. Leur démarche réservée rappelle l'attitude tranquille des vieux couples d'amants qui ont assouvi depuis longtemps les ardeurs de leur passion ancienne.

Les plus jeunes sont beaucoup plus démonstratifs. Ce matin, Jean-Émile a quitté la chapelle en tenant Lucy par la taille. Riant et plaisantant, il l'embrasse sur la joue jusqu'au moment où sa fiancée, hardiment tournée vers lui, lui présente ses lèvres. Ils s'embrassent alors à pleine bouche avant de disparaître derrière la porte de la maison des Brodeur. Ici, la jeunesse n'a pas à craindre les qu'en-dira-t-on.

Les plus âgés comme Lydia, Alexis, les Maloin ou le père Poirier sourient à ce manège amoureux qui n'est pas sans leur rappeler leur propre jeunesse. Alexis exprime le vieil adage que tous avaient à l'esprit :

— Les amoureux sont seuls au monde !

Solitaire, le père Poirier ajoute :

— C'est ben beau la jeunesse, mais ça passe si vite...

Comme d'habitude, les enfants courent et se bousculent. Alicia et les petites Ledoux chantent à tue-tête le refrain du dernier cantique de la célébration. Puis elles décident de chasser les petits garçons qui avaient pris d'assaut la balançoire et leur dérobant ainsi leurs places. Le plaisir cesse brusquement quand la femme d'Isidore Ledoux, passant la tête dans l'entrebâillement de la porte de la cuisine, lance d'une voix autoritaire :

— Laurette, Julienne, venez éplucher les légumes !

— On ne peut jamais s'amuser en paix, s'exclame Alicia. Je m'en vais voir Laure. Je reviendrai après dîner.

Peu à peu, on se disperse et chacun rentre chez soi. Deux couples d'amoureux, Alexandra et Armand, Janine et Alexandre, prennent la direction du bac. Après avoir traversé la rivière, ils gravissent la berge et disparaissent derrière les arbres bordant la voie carrossable. Ils reviennent à l'heure du dîner, main dans la main, en se parlant au creux de l'oreille ou en se regardant au fond des yeux comme s'ils avaient les plus grands secrets à échanger. En passant devant la gare, Armand lance à son petit frère Robert :

— Dis à maman que je m'en vais dîner chez monsieur Maloin.

À petits pas, les deux couples quittent le quai de la gare et s'engagent sur le chemin de terre battue qui mène à la maison de Georges.

Chez les Poirier, Maria s'affaire aux préparatifs du repas. Les jumelles coupent de la laitue et de la ciboulette dans le jardin.

Ce soir, elles mettront leurs belles robes brodées pour recevoir leurs jeunes amoureux. Maria jouera de l'harmonica pour leur faire danser quelques quadrilles sous le regard attendri de leur père. Sandy, seul dans son bateau, caressera les rêves qui montent en lui comme une grande marée d'espérance.

Demain, c'est le jour de la rentrée des écoliers en classe. L'institutrice est revenue, on l'a vue à la chapelle aujourd'hui.

Le temps est venu de dire adieu à l'été et à ses petits bonheurs faciles.

14

Mademoiselle

C'est une grande brune au teint mat, mince, élégante et raffinée comme le veulent l'éducation et la formation académique qu'elle a reçues chez les Dames Ursulines. On l'appelle *Mademoiselle*.

On suppose que cette diplômée de l'École normale diocésaine a dû apprécier son séjour comme institutrice à Assametquaghan, car elle n'a pas hésité à renouveler son engagement pour une autre année.

Parodiant les paroles de l'Écriture, on pourrait dire qu'« elle connaît ses élèves comme ses élèves la connaissent ». Une telle complicité est de bon augure pour des relations harmonieuses durant la prochaine année scolaire.

On ne pourrait d'ailleurs pas concevoir qu'il puisse en être autrement. L'autorité de l'enseignante, fortement appuyée par celle des parents, favorise une discipline ferme et inflexible. Le climat scolaire est fait de silence et d'application.

Mademoiselle est revenue hier. Elle paraît reposée. Sans que ne l'abandonne la distinction qui la caractérise, elle paraît un peu plus accueillante et enjouée. Elle sourit plus souvent. Comme elle est jolie alors !

En retrouvant la grande chambre que madame Brodeur met encore à sa disposition cette année, elle commence par en inspecter minutieusement tous les recoins. Elle se rappelle trop bien le « coup de la grenouille » fait à l'institutrice précédente par les jeunes Brodeur et dont on se vante parfois devant elle. Elle se méfie : elle ne tient pas à se glisser entre des draps où sautille une grenouille humide et froide.

Elle s'inquiétait sans raison car elle n'a trouvé ni grenouille ni souris, pas même le plus petit criquet. Elle range donc ses affaires tranquillement après avoir ouvert la fenêtre qui laisse entrer l'arôme particulier de septembre qui monte à la fois de la terre, de la forêt, des dernières fleurs de l'été et de l'eau engourdie par les frimas du matin.

Au moment où elle s'apprête à quitter sa chambre, son regard est soudain attiré par une légère protubérance qui soulève un peu le couvre-lit, tout près des oreillers. Écartant légèrement la couverture, elle aperçoit un tout petit chat qui, l'air surpris, ouvre un œil, puis l'autre, bâille et s'étire doucement avant de se mettre à ronronner avec satisfaction. Il est blanc avec des petites taches de poil noir qui lui donnent un air coquin.

Mademoiselle le prend dans ses bras et descend l'escalier en le caressant. Le minet ronronne de plus en plus fort.

La famille au grand complet est réunie dans la cuisine pour le souper. Déposant le chat sur le coussin d'une chaise, l'institutrice demande candidement à qui appartient le joli chat ?

— C'est à moi, Mademoiselle, répond la petite Marie-Line. Il est beau, n'est-ce pas ? Où c'est que vous l'avez trouvé ?

— Il dormait dans mon lit. Et je me demande bien comment il a pu se glisser jusque-là sans déranger le couvre-lit...

Alexis fronce les sourcils, Lydia retient un léger sourire et les enfants se regardent à tour de rôle comme pour découvrir un coupable parmi eux. Peine perdue. Nul indice n'apparaît sur ces jeunes visages hermétiquement clos à toute révélation. La question restera sans réponse et personne, surtout pas Mademoiselle, ne songera à en faire un drame.

Puis on oublie vite le chat. Alexis et Lydia interrogent l'institutrice sur le nouveau programme scolaire. On discute de la priorité du français et de l'arithmétique et Lydia émet le désir de voir le catéchisme occuper la première place dans l'enseignement élémentaire.

— Vous aurez cinq élèves qui feront leur communion solennelle cette année, dit-elle. On n'aimerait pas les voir échouer à l'examen de monsieur le curé... La religion, c'est bien important !

Mademoiselle en convient, naturellement.

Lorsque les « grandes personnes » se lèvent de table, on s'aperçoit que tous les enfants se sont déjà éclipsés, se dispersant dans la nature jusqu'à l'heure du coucher.

L'institutrice aide madame Brodeur à ranger la cuisine puis elle va se promener sur le quai de la gare pendant un long moment avant de remonter à sa chambre pour préparer ses classes.

Les murmures de la rivière montent jusqu'à elle et les montagnes apparaissent maintenant toutes noires dans la nuit envahissante. On entend la sirène d'un rapide qui passe à grande vitesse et un silence plat retombe sur toutes choses.

Une certaine nostalgie, comme une tristesse insidieuse envahit la pièce et l'institutrice ressent le poids de ses trente ans, comme si sa jeunesse s'écoulait au fil des eaux de la rivière. Soudain sans courage, elle se demande quelle intuition insensée a pu l'obliger à accepter ce nouveau contrat d'un an. Il lui apparaît ce soir aussi lourd que les chaînes du forçat exilé loin de sa patrie.

15

Automne

Mademoiselle a retrouvé son entrain et sa joie de vivre. Tout va bien en classe. À la fin d'octobre, on a déjà vu la moitié du catéchisme. Lorsque viendront les vacances du Jour de l'An, le trente décembre, on l'aura repassé deux fois. L'institutrice affirme même que deux petites filles — les garçons apprendraient-ils moins vite ? — pourront réciter par cœur la réponse à l'une des dernières questions du manuel, celle qui paraît résumer l'essentiel de la vie chrétienne : « Pour vivre saintement, que doit faire un chrétien tous les jours de sa vie ? »

Récitée tout d'une traite, la réponse est essoufflante, mais cela n'empêche pas les jeunes chrétiennes d'en venir à bout les premières. Est-il certain, cependant, qu'elles en comprennent mieux le sens que leurs jeunes compagnons ?...

Cette année, l'automne est venu tout doucement. On aurait dit qu'il lui en coûtait de faire les
premiers pas vers l'hiver. Il s'attardait, laissant
au soleil toute la chance de réchauffer les êtres et
les choses avant la chute des neiges.

Les montagnes éclataient de couleurs éblouis-
santes, les jardins débordaient de tomates, de
citrouilles, de navets et de choux rebondis jusqu'au
point d'éclater ; les sous-bois s'éclairaient d'une
luminosité si éclatante qu'on pouvait voir à bonne
distance les écureuils se pourchasser.

Son bérêt noir enfoncé jusqu'aux oreilles, les
pieds au chaud dans ses bottines lacées à mi-
jambes, une longue veste de drap rouge boutonnée
de la taille au cou, Gabrielle erre au bord de la
rivière. Elle ramasse des cailloux brillants qu'elle
glisse dans les poches de sa veste et cueille de
grosses gerbes de branches colorées qui garniront
le dessus du piano et la table de la cuisine.

Elle s'assoit parfois sur une grosse bille d'épinette accrochée à la berge au moment du flottage
du bois au printemps. Et là elle rêve, en regardant
couler la rivière. On la voit parfois crayonner
dans un petit cahier qu'elle a roulé dans sa
poche ; mais le plus souvent, elle laisse traîner
son regard au loin, jusqu'au pied des montagnes,
là où disparaît la rivière dans son tournant.

Depuis que son ami Armand travaille loin
du hameau, Alexandra vient parfois l'y retrouver.

106

Alexandra parle de ses amours, de son ami. Elle trouve le temps long sans lui. Si son absence se prolonge, elle craint de ne pouvoir compter sur sa fidélité.

Gabrielle l'écoute et, sans rien savoir de l'amour, tente de rassurer son amie.

— On ne devrait jamais douter de ceux qu'on aime. S'il t'a avoué son amour, je suppose qu'il était sincère. Moi, si j'aime quelqu'un un jour, ce sera pour la vie, dit-elle gravement.

De nouveau, elle laisse errer son regard au-delà de la rivière puis elle ajoute d'une voix un peu sourde :

— C'est étrange comme le paysage change sur l'autre versant quand le gardien s'en va. La petite maison paraît perdue, comme abandonnée à un destin solitaire. Image de certaines vies, laisse-t-elle tomber dans un souffle.

Que peut-elle bien vouloir dire ? Alexandra, plus pratique que rêveuse, n'a rien compris et n'ose pas questionner. Elle aime mieux parler de Sandy, de ses amours heureuses, de son retour à la religion de son baptême.

— Maman est tellement contente, dit-elle. Elle passe son temps à parler de la conversion de son cousin. S'il y a quelqu'un qui mérite d'être heureux, c'est bien lui.

— Et Maria aussi, ajoute Gabrielle.

Les jeunes femmes gravissent en jasant le sentier de la rivière et arrivent à la hauteur du jardin de Maria.

Elle est là pour la dernière fois de l'été. Sa récolte terminée, elle a ratissé avec soin les carrés et les allées de son jardin. L'hiver y dormira dans un champ ordonné et lisse.

— Chez nous, nous avons fait ces travaux-là hier, dit Alexandra. Maman commence déjà à penser à son métier à tisser.

Gabrielle écoute. Peut-être fera-t-elle un petit jardin, elle aussi, quand viendra le nouveau printemps. Des radis, de la laitue, des échalotes... cela paraît facile à cultiver.

La première neige tombe en novembre. Elle ne surprend personne ; on l'attendait. On s'était même préparé depuis longtemps à sa venue. Elle a commencé à tomber lentement, en gros flocons. Et même si elle avait l'air de prendre son temps, elle eut tôt fait de recouvrir les montagnes et le hameau d'un tapis blanc uniforme qui brise toute perspective.

Seule la rivière, comme un long serpent noir, continue encore sa course éternelle, mais elle a perdu tout son charme.

L'automne est passé comme passe la vie : beaucoup trop vite.

16

Les chantiers

L'hiver venu, l'équipe des cantonniers est réduite singulièrement. Aux chemins de fer, les emplois sont répartis selon l'ancienneté. Les derniers arrivés graviront les échelons au fur et à mesure des départs des plus anciens.

Télesphore Dumont, dont la fonction de garde-feu est saisonnière, part en forêt dès le début de novembre. Avec une demi-douzaine d'employés sous ses ordres, il entreprend chaque hiver un contrat de coupe de bois à même les lots qu'il possède sur la montagne. Ce travail se poursuit tout l'hiver. Tant que dure la saison d'abattage et de transport du bois, on « fait chantier » et on parle de chantier.

Dans notre bout de pays, tout acquis favorable à la population est présenté comme une promesse électorale réalisée. Ainsi en est-il de la colonisation du sommet fertile de la montagne.

On a d'abord tracé et construit une route à travers la montagne. Partant d'Assametquaghan, elle contourne le canton et va déboucher à Beaurivage. Il s'agit maintenant de déboiser et après la coupe de la forêt, on livrera la plaine à la charrue du défricheur.

Télesphore est un homme des bois. La forêt n'a pas de secret pour lui. Même les animaux lui sont familiers. Il les reconnaît à leurs pistes et il sait où tendre le bon piège pour capturer le loup-cervier, le raton-laveur ou le renard. Il a aussi appris depuis longtemps la manière de bien apprêter les peaux pour le commerce. Il fabrique lui-même les formes sur lesquelles il tend, selon leur grandeur, les peaux des bêtes sauvages.

Cette occupation n'est cependant pour lui qu'un passe-temps. Ce qui l'intéresse avant tout, ce sont les arbres et le nombre de pieds de planches qu'on en pourra tirer. Il l'évalue à l'œil en calculant le diamètre et la hauteur de l'épinette ou du sapin à abattre. Son coup de hache est sûr et il connaît d'avance l'endroit exact où s'écrasera le résineux.

On ne sait pas exactement ce qui lui attire le plus le respect de ses employés : la justice de Télesphore à leur égard ou sa parfaite connaissance des secrets de la forêt et de la qualité du bois ?

Cette année, avant les neiges, on a bâti au milieu du chantier une maisonnette en bois rond bien étanche qui servira à loger les bûcherons. Les hommes s'y trouvent bien. Le midi, lorsque les travaux n'en sont pas trop éloignés, ils reviennent à la maison pour dîner. Quand ils doivent monter au bout du lot, ils se rassemblent autour d'un feu de branches sèches pour manger, en blaguant et en se racontant des histoires, le repas que Gabrielle a préparé à la demande de son père.

Télesphore a raison de dire que ce n'est pas une nourriture pour les fines bouches. Les hommes travaillent au froid, dans la neige, et ils ont besoin de l'énergie que leur fournit le lard salé cuit, tranché d'avance comme le pain. Les épaisses portions ont la largeur de la main d'un homme. Pour dessert, les bûcherons se contentent de mélasse durcie par le froid. En se servant de leur couteau de poche, ils parviennent à l'extraire de son contenant de fer-blanc.

Détendus et joyeux, les travailleurs sont accroupis dans la neige autour du feu. Ils font griller sur la flamme vive les tranches de pain ou de lard, piquées sur des tiges de bouleau affilées au couteau. On les croirait en pique-nique.

Au moment de faire le thé, Télesphore plante dans la neige une longue perche fourchue à laquelle il suspend, au-dessus du feu, une marmite noircie remplie de neige foulée. Quand l'eau bout, il y jette la quantité de feuilles requise. Puis les hommes boivent ce breuvage noir et fort avec une certaine délectation avant de fumer « une bonne pipe ».

Une fois le feu bien éteint, le labeur recommence jusqu'à la tombée du jour.

Vers cinq heures, on complète le dernier chargement de billes. Alexandre, le charretier, accompagné de son frère Henri et de Télesphore, entreprennent la descente de la montagne. Quatre fois par jour, ils font le trajet du chantier à la station pour transporter le bois coupé qu'on chargera ensuite dans les wagons rangés sur la voie d'évitement. Plus tard, l'*Accommodation* tirera ce convoi jusqu'à l'usine de sciage.

Descendre la route montagneuse avec un lourd chargement n'est pas une entreprise facile. Il faut retenir le cheval et surveiller constamment la manœuvre. Les hommes ont inventé une sorte de cran d'arrêt qui, habilement manipulé, freine la marche du chargement solidement retenu au moyen de fortes chaînes.

C'est un dur labeur pour ces hommes robustes et forts. Le travail ce poursuit jusqu'au printemps, jour après jour, sauf les dimanches et jours de fête religieuse. L'été venu, le travail à la voie ferrée leur apparaît comme le temps des vacances.

Cinq familles de colons occupent déjà leur lot sur la montagne. Le rythme accéléré du déboisement permet déjà d'envisager certaines semences pour le printemps prochain. Les habitations en bois rond construites au début feront bientôt place à de grandes et solides maisons familiales. On aura besoin de madriers, de planches, de bardeaux. Télesphore entrevoit la possibilité d'y construire un moulin... pourquoi pas l'an prochain ? Il l'érigera au bord du ruisseau qui coule sur son lot, à l'est de la route de la montagne.

Des milliers de pieds de belles planches dorment déjà au sommet des montagnes boisées. On construira les maisons des colons et il faudra bientôt songer à bâtir une école. Télesphore sent déjà la bonne odeur du bois fraîchement scié à son moulin.

Le soir, après un bon repas chaud, il fait la liste des besoins alimentaires des bûcherons de la montagne et la remet à Junior en disant :

— Va donc porter ça à Alexandre. Tu lui diras d'aller chercher les provisions ce soir. Nous les apporterons aux hommes à notre premier voyage, demain matin.

Puis il fait ses comptes, dépouille son courrier, lit le journal et se couche tôt.

Le travail est dur ; les journées sont longues !

17

Le quotidien des petites gens

1922... une année, une époque. Le quotidien a l'apparence de la morosité et de l'ennui pour qui ne prend pas la peine d'aller au fond des choses.

Il faudrait peut-être inventer des mots, concevoir un vocabulaire brodé de touches nuancées, pour recréer les ombres tamisées, les lumières vives, les ciels orageux ou étoilés, tout ce passé chargé de sentiments secrets, violents et tendres à la fois, qui finissaient par combler la vie.

Les mots n'ont plus la même résonnance. Ils ont perdu leur saveur originelle ; ils trébuchent maladroitement sur l'expression de coutumes et de mentalités depuis longtemps oubliées. Ils sont plus directs, brutaux parfois. On dirait qu'ils ne savent plus ménager les sensibilités.

À Assametquaghan, en ce début de décembre, les mots se perdent souvent dans le silence et dans les gestes, et ceux qu'on prononce gardent la chaleur d'un bon feu d'érable qui réchauffe les maisons. Il arrive parfois qu'on refuse de les dire afin de mieux dérober son âme. On a toutes les pudeurs et celle de ses sentiments n'est pas la moindre.

Penchée sur le berceau de sa dernière-née, Laure répète doucement les mots qui montent du cœur des mères depuis la création du monde.

— Bien oui, tu as un gros chagrin, tu as faim, ma Toinette. Viens, viens.

Elle la prend tendrement dans ses bras, s'assied dans une berceuse et déboutonne son corsage. Se couvrant pudiquement d'un large châle en laine rose tricoté par grand-mère Pino, elle offre à sa petite fille un beau sein rond et blanc gorgé de lait. Bientôt rassasiée, l'enfant s'endort, la bouche entrouverte sur le mamelon nourricier. Une goutte de lait s'est fixée au coin de ses lèvres. Laure dépose la petite dans son berceau, boutonne son corsage et va retrouver les autres femmes à la cuisine.

— Tu devrais aller te reposer, lui dit grand-mère Pino. Je te trouve pâlotte. Ça ne fait même pas trois semaines que tu as accouché!

L'aïeule garde fidèlement en mémoire la date et les circonstances de la naissance des enfants qu'elle a aidés à entrer dans la vie. Elle n'oubliera pas de sitôt celle de son arrière petite-fille, Antoinette.

— Je le savais, dit-elle, que c'était « ta journée » quand j'ai vu le temps qu'il faisait ce matin-là : une tempête à empêcher les chiens de sortir.

Elle se remémore les menus détails de cette journée.

Tout en faisant stériliser ses linges dans le four, elle mettait l'eau à bouillir. Au mouvement de ses lèvres, on voyait qu'elle priait.

— Si le docteur peut arriver à temps !, dit-elle soudain.

— Monsieur Brodeur est averti, avait répondu Maggy. Il va faire arrêter l'*Express* pour qu'il puisse descendre ici.

De temps en temps, une plainte vite étouffée parvenait de la chambre où la courageuse Laure terminait « son chantier », comme disait Télesphore, son beau-père. Un grand mouchoir blanc dans les mains, Henri essuyait les sueurs qui perlaient sur le visage de sa femme, au plus fort des douleurs.

Les jumeaux étaient à l'école et on avait demandé à l'institutrice de les envoyer chez Télesphore à la fin des cours. Il aurait été malséant, immoral même, de permettre à de jeunes enfants d'assister à la naissance d'un bébé. Ils apprendraient bien assez tôt que « les humains viennent au monde de la même manière que les animaux ». On devait cacher ces réalités aussi longtemps que possible.

De nature gaie et plutôt large d'esprit pour son époque, Maggy se demandait avec un brin d'amusement comment elle allait expliquer cette naissance à ses jeunes garçons.

On ne pouvait pas avoir trouvé ce bébé-là sous une feuille de chou : la neige envahissait le jardin... La cigogne ?... Mon Dieu ! Comment aurait-elle pu apporter un enfant par un temps pareil ?... Il restait les sauvages. Cela ne valait pas mieux. On les connaissait si bien, les sauvages ! Ils ne venaient au hameau qu'en été, au temps des bleuets...

Maggy restait perplexe. Cette femme si honnête se sentait mal à l'aise d'être obligée d'expliquer par des inventions ridicules le comportement des adultes pour sauvegarder « les bonnes mœurs ». Elle aurait voulu être instruite, posséder un vocabulaire fait de termes judicieux, de mots pudiques, presque pieux, pour expliquer à ses enfants le sens merveilleux de la naissance, à commencer par cet amour mystérieux qui unit l'homme et la femme, tant dans la chair que dans l'esprit. Maggy n'était pas faite pour la tromperie ; elle était faite pour la lumière et pour la vérité.

Aujourd'hui, elle devait s'en tirer au mieux avec sa conscience. Les jumeaux, sans doute plus délurés qu'on le croyait, n'avaient posé aucune question.

Peut-être grâce aux prières de grand-mère Pino, le médecin était arrivé à temps. Georges en doutait un peu. Il admettait cependant que ces intercessions sincères avaient permis au médecin de procéder au rite d'une nouvelle naissance après l'intervention intelligente du chef de gare.

Ce n'était pas la première fois qu'Alexis, usant de son influence auprès du surintendant des chemins de fer, faisait stopper un rapide. Deux ans auparavant, Joseph Poirier s'était fracturé une jambe. Ses filles pleuraient, tout le monde s'affolait. Pendant que Maggy réconfortait la famille, un appel téléphonique, un ordre télégraphié, un arrêt inusité de l'*Océan Limitée*, une civière, deux infirmiers, tout l'appareil médical était là. En moins de deux heures, la douloureuse fracture avait été réduite par les bons soins du médecin de l'hôpital où Joseph avait été transporté.

On s'est habitué depuis longtemps à l'efficacité du chef de gare et de sa femme dans les circonstances difficiles et on considère leur rôle comme providentiel. Lydia s'apitoie, Alexis agit. Tous les deux, chacun à leur manière, sont des meneurs et Assametquaghan est leur fief. Ils y ont organisé la vie religieuse, civile et sociale, offrant tous les services qu'on peut trouver au sein des grands villages environnants.

Avec le temps, ils sont devenus indispensables à la survie et au progrès du hameau et de la colonie. On sait maintenant qu'ils ont pris racine pour toujours le long de cette rivière chantante qui baigne le pied des monts. Les autres habitants, cantonniers et bûcherons, partiront pour diverses raisons : le collège et le couvent pour l'éducation des enfants, une promotion qu'on ne pourra refuser. D'autres familles viendront prendre la place des Ledoux, des Maloin, mais Lydia et Alexis ne quitteront jamais leur cher hameau. On les y croirait liés comme à une vocation.

18

Réjouissances de l'hiver

Noël est toujours la plus belle fête de l'année. Les réjouissances qui s'y rattachent coupent l'hiver en deux, la première partie étant occupée par les préparatifs et la seconde, par l'attente du printemps.

Cette année, on aura la chance exceptionnelle d'assister à une vraie messe de minuit célébrée par l'abbé Lachance, le neveu d'Alexis. Il est professeur au séminaire du diocèse et il passera au hameau une partie de ses vacances.

Lydia a déjà commencé les exercices des cantiques de Noël. Comme d'habitude, Alexis entonnera le « Minuit, chrétien », sa femme chantera l'« Adeste fideles » et la superbe voix d'Alexandra se fera entendre dans trois solos choisis pour elle. Ce sera une magnifique messe.

Maria et Mademoiselle, aidées des écoliers les plus âgés, ont confectionné une très belle crèche sur un fond de jeunes sapins coupés à l'orée de la forêt. L'Enfant-Jésus donné à la mission par Monseigneur, à la requête d'Alexis, incite les femmes et les enfants à s'agenouiller devant la crèche. Une prière naïve et confiante rejoindra le Père éternel par l'entremise de « cet Enfant si doux ».

Comme on l'avait espéré, la messe fut très solennelle.

L'abbé Lachance félicite la chorale et se dit émerveillé par l'ampleur et la sonorité de la voix d'Alexandra. La jeune fille est particulièrement heureuse ce soir. Armand s'empresse auprès d'elle et ce tendre rapprochement chasse le doute de ses pensées. Elle croit de nouveau à l'amour et s'y abandonne avec confiance.

— Viens réveillonner avec nous, lui souffle madame Brodeur. L'abbé aimerait t'entendre chanter encore.

Les yeux noirs d'Alexandra brillent d'un espoir contenu. La joie est au rendez-vous.

On se disperse en parlant haut et les montagnes répercutent l'écho des voix joyeuses. Sauf chez la famille Brodeur, la coutume des réveillons après la messe de minuit n'est pas encore implantée ici. Après la messe, les enfants s'endorment et les parents font un brin de causette avant de sombrer dans le sommeil.

Après l'apothéose de la fête de Noël, on retourne à la routine quotidienne jusqu'au Jour de l'An, alors que débutent les véritables Fêtes.

Demain, les enfants iront en classe et les hommes retourneront au travail. Au retour, l'appétissante odeur des mets traditionnels, cuisinés par les femmes pour les prochaines réceptions, a le don de réchauffer les humeurs et de dégourdir les membres.

Suivant les conseils de sa sœur Laure et se souvenant des gestes de sa mère, Gabrielle prépare des beignes, des pâtés à la viande, du ragoût de boulettes et un « cipâte » que Télesphore apprécie tant. Il reconnaît les efforts de sa fille et la peine qu'elle se donne pour satisfaire les siens.

À la fermeture de l'école, le trente décembre, Mademoiselle s'en va pour passer les vacances dans sa famille. Les écoliers, excités d'être libres, font penser aux jeunes enfants qu'on lâche dans les enclos au printemps. Ils ont aménagé une patinoire sur la rivière gelée et une longue glissoire, à même la pente accentuée, qui va de la gare aux abords du cours d'eau. De temps en temps, Télesphore attelle un de ses chevaux à ce qu'il appelle sa « traîne à bâtons » et fait faire le tour de la montagne aux enfants.

Cette voiture est un long traîneau bordé sur trois côtés d'une rampe faite de rondins encastrés dans une solide pièce de bois transversale. Debout à l'avant, guides de cuir en mains, Télesphore conduit son cheval sur les routes enneigées balisées de jeunes bouleaux. Junior, les jumeaux et Lucien Brodeur se croient assez « hommes » pour faire le trajet debout et se cramponnent à la rampe lorsque le cheval se met à trotter dans les pentes raides. Les petites filles sont assises sur des peaux de moutons au fond du traîneau. Elles se moquent des garçons qui, moins habitués que Télesphore, perdent souvent l'équilibre et tombent à côté d'elles. Les enfants reviennent de ces randonnées enivrés d'air pur, rouges de plaisir et de froid. Ils recommenceraient tous les jours, si c'était possible.

Tout le monde veut profiter de la promenade. Demain, les jeunes Ledoux et Amélie Poirier accompagneront à leur tour Junior et Alicia. Personne ne sera oublié.

Gabrielle garde la maison pour entretenir le feu et préparer les repas. On aurait tort de croire qu'elle puisse s'en plaindre. Elle a acquis depuis longtemps l'habitude de la solitude qu'elle sait combler par la lecture et de menus travaux d'artisanat. Et ses rêves d'évasion vers le savoir sont toujours en elle, comme des compagnons fidèles.

Le Jour de l'An ouvre la porte aux grandes réjouissances familiales et à l'échange de modestes présents. Un rien fait plaisir : on n'attache d'importance qu'aux bonnes intentions. La veille, avant d'aller dormir, les enfants ont suspendu au mur, derrière le poêle, les bas de laine tout neufs que leurs mères ont tricotés durant les longues soirées de l'Avent. Au réveil, les bas gonflés excitent toujours la curiosité enfantine. Sous quelques babioles (canifs et petits chevaux de bois destinés aux garçons, chaînettes dorées et poupées de porcelaine pour les filles), ils découvrent avec une satisfaction gourmande le sac d'avelines et de bonbons durs, la pomme rouge et surtout, l'orange odorante qu'on ne voit que dans le temps des Fêtes. Les adultes d'une même famille échangent des cadeaux de main à main, le plus souvent une pièce de vêtement utile.

Le premier de l'An, les liens familiaux se ressoudent dans une joie partagée. Enfants mariés et petits-enfants viennent de partout. Ils ne voudraient pas se priver de la bénédiction du père. Celui-ci, les mains étendues sur toutes les têtes inclinées de sa descendance, se sent investi d'une certaine majesté. Le signe de la croix qu'il ébauche, souvent maladroitement, sur ses enfants agenouillés, fait partie de la tradition ancestrale jamais oubliée.

Après la célébration religieuse, on se donne la main, on s'embrasse, on se souhaite mutuellement les meilleures choses du monde. En visite dans la paroisse voisine chez leurs vieux parents, seuls les Ledoux manquent au rassemblement.

Chez les Maloin, Maggy donne son grand dîner. Les enfants mariés, les petits-enfants, Alexandra et son ami Armand, Alexandre et sa chère Janine, les jumeaux, tout ce beau monde réuni forme une assemblée joyeuse, bruyante et tapageuse, sous les sourires attendris des parents et de grand-mère Pino. On se taquine gentiment, on blague, on se raconte des histoires comiques. Rosaire, enrôlé au début de la guerre dans le

125

quatre-vingt-neuvième régiment canadien, rappelle des faits cocasses dont il a été témoin, mais ne parle jamais des situations tragiques qu'il a vécues dans les tranchées des Flandres.

— Le souvenir que j'en ai rapporté me suffit, dit-il en regardant son petit garçon de deux ans qui essaie de monter une pyramide de blocs de bois colorés. J'ai quand même été chanceux de m'en tirer avec un éclat d'obus dans la jambe, ajoute-t-il.

Le repas terminé, la famille se rassemble au salon. Histoire de faciliter la digestion d'un repas plutôt lourd, Alexandra remonte la mécanique du phonographe et le rythme du fox-trot fait danser la jeunesse jusqu'à essoufflement.

Vers quatre heures, Maggy commence à préparer une copieuse collation pour ceux qui doivent partir bientôt : Rosaire et sa famille, Alexandre et son amie. Les pâtés à la viande, les cretons, le pain de ménage, les beignes et les tartes de toutes sortes, tout est sur la table et chacun n'a qu'à se servir à volonté.

La maison se vide peu à peu : Alexandra ira souper chez les Brodeur avec Armand ; Laure, Henri et leurs petites filles seront les invités de Télesphore. Ce premier jour de janvier, Georges et Maggy se couchent tôt. Les émotions fatiguent davantage que le travail et on ne s'habitue jamais à l'ambiance faite de sentiments contradictoires qui enveloppe le premier jour de chaque année.

On voudrait s'abandonner sans retenue à la joie pure à laquelle on aspire, mais les élans qui nous y poussent se heurtent aux regrets d'un passé qu'on aurait voulu vivre d'une autre façon. On ne peut jamais remonter le courant de la vie. Comme l'eau de la rivière, le temps s'éloigne toujours de sa source. Devant nous, le fil des mois que nous n'avons pas encore déroulé nous paraît redoutable et plein de mystères. Nos interrogations ne trouvent d'écho que dans l'angoisse qui nous étreint devant l'inconnu.

Selon ses dispositions d'esprit ou son tempérament, on a l'impression d'être à l'entrée d'un tunnel sans issue ou de se balader au milieu d'une route éclairée et sans obstacles. Certains cèdent au pessimisme, d'autres à l'espérance. Ces derniers bâtissent des rêves, élaborent des projets qu'ils oublieront peut-être demain dans la grisaille de la routine du quotidien.

Parce qu'il nous rappelle l'impitoyable progression des années, le premier de l'an n'est jamais une journée comme les autres.

Chez les Poirier, le début de l'année 1923 est marqué par la joie, l'amour et l'espoir. Les projets de mariage de Maria en changent toute la perspective.

19

Les fêtes de Maria

Sandy est venu à Noël. Descendant du *Local* la veille de la fête, il est d'abord venu chez Maggy. Il voulait s'assurer un endroit où loger durant sa visite puisqu'il n'est pas question d'ouvrir sa maisonnette en hiver.

— Je t'attendais, lui dit sa cousine en l'accueillant. Accroche ton linge et viens t'asseoir.

— Est-ce que vous priez toujours pour moi ?, demande Sandy à grand-mère Pino qui s'avance à son tour.

Il a toujours son air de bon enfant sans malice. Son regard bleu comme la mer reflète une douceur tendre qu'on ne voit que dans les yeux des amoureux.

Depuis qu'il est « sur la voie de la conversion », comme dit Maggy, elle n'ose plus le traiter de « renégat » ou de « païen. » Elle a même développé une certaine admiration pour lui. Sandy en est presque gêné.

— As-tu faim? lui demande Maggy. Tu as dû déjeuner de bonne heure pour prendre le train. Approche-toi de la table et viens goûter à mes cretons.

En même temps, elle lui sert un bon café fort comme il l'aime.

L'accueil chaleureux de sa cousine tombe comme une ondée rafraîchissante sur le cœur de ce garçon. Peu habitué aux attentions d'une femme, la moindre marque d'affection fait naître en lui une gratitude démesurée. Se sentant ainsi en confiance, il commence à parler de Maria. Comme il a hâte de la revoir, il ira chez les Poirier « after the dinner, » dit-il. Ce soir, il veillera avec Maria et se rendra à la messe de minuit en sa compagnie. Mais avant de partir, il distribuera à sa parenté les présents qu'il a apportés. La première personne qu'il veut combler, c'est grand-mère Pino.

— Vous pouvez vous en servir, le Père Bourque l'a béni, dit-il en lui remettant un magnifique chapelet en cristal de roche monté sur argent.

Avant de le remercier avec effusion, la vieille femme baise pieusement la croix sur laquelle est soudée une minuscule sculpture du Christ. Sandy est heureux. Il sait que son cadeau plaît. Généreux de nature, il ne peut résister à un étonnant besoin de largesses.

— Tu fais des folies, mon cousin, lui dit Maggy. Tu as une autre personne à gâter cette année, ne l'oublie pas !

— Je ne l'ai pas oubliée, répond-il, en rougissant.

La femme de Georges sourit avec attendrissement. Elle s'étonne toujours de la timidité de ce grand garçon bâti comme un colosse mais dont l'attitude auprès des femmes rappelle la gaucherie des adolescents.

Le moment venu de se rendre chez les Poirier, elle l'encourage gentiment et grand-mère Pino l'assure qu'aujourd'hui, elle dira son rosaire pour lui sur son beau chapelet neuf.

En cette veille de Noël tout ensoleillée, c'est un homme rayonnant de joie que Maria accueille. Elle le débarrasse du colis qu'il porte, lui offre la chaise berçante de son père et prend place en face de lui.

Quand il l'a embrassée sur la joue, il y a un instant, elle a senti un bonheur inconnu monter en elle. Auprès de Sandy, elle se sent protégée par la force tranquille qui émane de cet être simple et déterminé. Elle sait qu'elle ne regrettera jamais de lui avoir donné sa parole. Dans son cœur, elle est déjà sa femme pour la vie.

— Je suis seule avec les petites ; les jumelles sont allées donner un coup de main à madame Brodeur.

Assises sagement à la table de la cuisine, Amélie et Jeanne feuillettent un catalogue. On a fermé l'école à midi pour préparer la chapelle.

Entre Maria et Sandy, des projets naissent et s'élaborent. Le jeune homme parle avec fierté de la maison qu'il fera construire au printemps : « Une belle maison pour la meilleure des femmes », ajoute-t-il en rougissant.

Maria est heureuse. Elle lui parle du trousseau qu'elle coud et brode avec amour. Sandy s'empresse de lui offrir de l'argent qu'elle hésite à accepter ; mais le jeune homme insiste :

— Ce trousseau, c'est pour notre maison, dit-il simplement, pour nous deux. Je peux bien faire ma part.

Durant la messe de minuit, la première de sa vie, Sandy ressent l'émerveillement d'un enfant devant le mystère naïvement évoqué par la cérémonie religieuse. Plein de bonne volonté, il adhère à la foi qui s'éveille en lui sans se poser de question. Sa confiance en Maria se confond avec la croyance chrétienne qu'il vient de découvrir. Le présent et l'avenir lui apparaissent comme une route pleine de lumière. Il sent que le bonheur longtemps espéré est si proche que soudain il a peur.

Il regarde Maria. Debout au milieu des choristes, elle chante les cantiques de Noël avec une ferveur qui l'émeut. Sandy désire plus ardemment que jamais l'appartenance entière à cette religion qui, à ses yeux, fait de Maria la femme parfaite.

Il se sentira ainsi en pure communion d'esprit et de cœur avec celle qu'il aime.

Après la messe, il a serré la main de son ami Brodeur et de l'abbé Lachance auquel on l'a présenté. En attendant Maria qui, avec l'aide de Mademoiselle, range les vases sacrés et les ornements sacerdotaux, il s'attarde en contemplation devant la crèche. Un silence religieux a succédé à l'animation des départs. Habitué à la paix des soirs tièdes quand, seul sur son bateau, il se laisse glisser au fil du courant de la rivière, Sandy s'abandonne facilement à la méditation. Lorsque Maria lui touche le bras, il paraît s'arracher à une douce rêverie et son visage s'éclaire d'un large sourire.

— A Merry Christmas, Mademoiselle, dit-il à l'institutrice qui lui tend gentiment la main.

Ils marchent tous les trois sous le ciel étoilé. Lorsque Mademoiselle franchit le seuil de la gare, les deux amoureux ralentissent le pas. Il fait si beau cette nuit! Et puis les jumelles sont revenues à la maison au cours de la soirée. Si le père a besoin de quelque chose, elles sont capables de le servir.

— Je savais bien que toute la famille veillait encore!, s'exclame Maria en entrant dans la maison. Puis, regardant les jumelles :

— Vous avez fait réchauffer les pâtés à la viande et les beignes! Et le thé est chaud! Je pense bien qu'on va manger, hein, son père?

— Certain ! répond le père. L'Avent est bien fini ; on n'a plus besoin de jeûner !

Et il ajoute, en regardant Sandy :

— « Dégreyez-vous » et approchez-vous du poêle pendant que les filles finissent de mettre la table.

Le père n'a jamais pu abandonner certaines expressions acadiennes qui lui viennent de la mer et des pêcheurs.

Un peu gauche comme chaque fois qu'il doit faire une bonne action, le gardien va prendre le colis que Maria avait déposé sur la huche à son arrivée et il commence à le déballer.

Les yeux d'Amélie et de Jeanne brillent de curiosité.

— Je n'aurais pas pu me coucher avant d'avoir vu ce qu'il y a dans ce paquet-là, commente la plus jeune.

— Petite curieuse ! dit le père.

Personne n'a été oublié, pas même le fils aîné, sa femme et leur bébé qui viendront au Jour de l'An. Aux exclamations de plaisir qui accueillent chaque cadeau, Sandy entrevoit la perspective de la vie familiale. Il est heureux. De la joie de Maria surtout.

Toute la famille est en admiration devant la montre-bracelet en or qu'elle a reçue. Personne, dans le hameau, n'a de montre-bracelet. La mode en est encore trop récente. La première qu'on a vue, c'est Lucienne qui la portait, aux dernières vacances d'été. Mais dans son cas, ce n'est pas surprenant : elle vient « des États ». Maria est maintenant devant le miroir suspendu au-dessus de l'évier. Elle joue les coquettes avec la toque et le manchon en vison qu'elle a aussi reçus. Rayonnante de joie, elle embrasse spontanément Sandy. Puis, surprise elle-même de son audace, elle se tourne vers son père pour lui demander si elle peut donner à son ami le cadeau qu'elle a préparé pour lui.

Redevenue timide, elle tente d'expliquer :

— Ici, c'est au Jour de l'An qu'on se fait des présents...

Soudain mal à l'aise, Sandy s'excuse. Il ne savait pas... Chez lui, au temps de sa mère, c'était toujours à « Christmas »...

Le père Poirier ne veut pas laisser son futur gendre dans l'embarras. Il intervient :

— Ce n'est pas nécessaire qu'on fasse encore comme avant. À l'avenir, on donnera les présents à Noël !

Avec cette permission, les jeunes filles se précipitent dans leurs chambres. Elles en reviennent bien vite avec les modestes présents qu'elles ont elles-mêmes fabriqués avec amour et avec un sens pratique que les femmes de cette époque acquièrent très tôt.

Le cœur de Sandy est rempli de gratitude. Il peut facilement s'accorder tous les biens matériels qu'il désire. Pourtant, il attache au présent de

Maria une valeur sentimentale que ses besoins affectifs décuplent. Un foulard, des gants, des bas de laine tricotés par celle qu'il aime valent plus à ses yeux que tous les trésors de la terre. Il imagine la jeune fille silencieuse et pensive, penchée sur son ouvrage. Maille après maille, les aiguilles glissant entre ses doigts, l'esprit ailleurs, souhaitant la présence de l'homme qu'elle a librement choisi. Il est heureux... de sa propre joie, maintenant.

Le père se ressaisit le premier :

— On devrait bien manger, les filles, si on veut avoir le temps de dormir un peu cette nuit.

Dans une humble demeure d'Assametquaghan, un bonheur tout simple et fort de son authenticité semble s'être installé à jamais. En cette nuit de Noël 1922, ce bonheur doux, serein, ne trouble pas le lourd sommeil de la rivière emprisonnée sous les glaces.

20

Saison morte

La période des fêtes est passée et la femme d'Isidore trouve cette saison bien ennuyante. « Une saison morte », dit-elle. Enceinte, elle oublie qu'elle porte elle-même la vie. C'est quand même son état qui l'oblige à rester confinée entre les murs de sa maison.

Dès que leur maternité devient trop apparente, les femmes de cette époque en éprouvent une gêne presque maladive. Elles sortent alors de leur vieux coffre, la robe de « maternité » qu'elles y avaient rangée dix-huit mois plus tôt. Généralement confectionné de coton gris, ce vêtement sans ceinture, plissé à la hauteur des seins donne l'ampleur voulue pour camoufler la silhouette temporairement déformée.

Les femmes du hameau s'accordent beaucoup d'attention entre elles. Elles se soutiennent affectivement. Après le dîner, lorsque les enfants sont retournés à l'école, grand-mère Pino, la tête et les épaules enveloppées dans son châle de laine noire et chaussée de ses bottines de feutre, traverse la voie ferrée de son pas menu pour aller réconforter Adrienne.

Après des salutations amicales, les deux femmes rapprochent leurs chaises pour parler à voix basse de « ce qui s'en vient ». Une pudeur excessive les retient d'employer le vocabulaire approprié. Les secrets de la naissance, qu'elles connaissent pourtant bien, leur donnent la peur des mots : on ne dit pas que la femme est enceinte... elle est « en famille » ; elle n'accouche pas, elle « achète » ; elle n'allaite pas son enfant, elle le « nourrit ».

Les femmes comprennent très bien que la maternité et la grossesse, c'est leur affaire. On dirait qu'elles s'efforcent d'oublier le rôle que tiennent les hommes dans la conception : un rôle furtif dont elles rougiraient de parler. Elles en retiennent surtout les conséquences, car ce sont elles qui les assument, qui les portent et qui les porteront durant toute leur vie.

En donnant certains conseils à la femme d'Isidore, grand-mère Pino la rassure. Elle lui a apporté des tisanes d'herbes médicinales fabriquées selon une vieille recette indienne. Tout ira bien : elle priera pour elle.

Parfois, c'est Maggy qui va visiter Adrienne. La rencontre des deux femmes prend alors une tournure beaucoup plus décontractée. La femme de Georges n'apporte ni tisane, ni conseil, ni prière ; elle donne sa bonne humeur en racontant des histoires cocasses — et même un peu osées — qui les font rire aux larmes.

— Veux-tu bien me dire, demande la femme d'Isidore en s'essuyant les yeux avec le coin de son tablier, où tu prends toutes ces histoires-là ?

— Ce sont mes grands garçons qui ramassent ça un peu partout, répond Maggy. Au début, ils ne savaient pas trop quelle serait ma réaction mais quand ils ont vu que j'en riais, ils ont continué. Tu sais, ajoute-t-elle, le rire est aussi bon que les tisanes pour la santé.

Lorsque Maggy s'en va, la femme d'Isidore a retrouvé son courage. L'hiver est devenu une saison amie. Quand le printemps prendra sa place, on oubliera la neige et le froid. Et à la fin de mai, le petit sera là. Il prendra lui aussi la place qui l'attend : ce sera encore mieux qu'un printemps, ce sera l'aurore du monde. Les cinq autres nés avant lui, les filles surtout, lui feront une fête. Ce sera sans doute le dernier, le plus choyé de tous.

La femme ne s'attarde pas longtemps à ces pensées. Elle saisit la poignée des fers à repasser qu'elle a mis à chauffer depuis un moment, l'insère dans l'un des fers et repasse le linge qu'elle a lavé la veille. Il y en a un plein panier. Passant devant la fenêtre, elle jette un coup d'œil au dehors. Il fait beau. Le soleil brille comme au mois de mars. Elle se sent presque joyeuse. Soulevant un pan du rideau, elle fait un signe à

Gabrielle et Alexandra qui reviennent du magasin en causant amicalement.

— L'hiver passe vite, fait remarquer Gabrielle. Le carême commence déjà cette semaine... Tu n'as pas oublié que nous allons patiner ce soir? Mademoiselle a dit à Alicia qu'elle se joindrait à nous. Au clair de lune, ce sera féérique!

— Oui, répond Alexandra. Il faut bien se distraire un peu. Je trouve le temps si long quand Armand travaille au loin.

— Il me semble qu'il n'y a pas si longtemps qu'il est parti, reprend Gabrielle.

— Un gros mois, rétorque l'autre. Et je n'ai reçu que deux courtes lettres durant ce temps-là!

Un long soupir a ponctué cette dernière phrase.

Gabrielle aimerait bien témoigner plus de sympathie à son amie, mais n'ayant jamais été touchée par l'amour, elle ne sait pas trouver les mots qui rassurent. En quittant Alexandra, elle se surprend à réfléchir sur le sens d'une phrase qu'elle a déjà lue : « Un seul être nous manque et tout est dépeuplé ». Elle a oublié le nom de l'auteur et le sens même des mots lui avait échappé. Elle comprend mieux maintenant ce que ressent son amie.

Elle jette un regard vers la rivière — sa rivière — avant de franchir le seuil de la maison jaune. La patinoire ressemble à un miroir et au-delà de son tracé, la neige scintille comme un million d'étoiles sous le soleil d'hiver.

La neige est vivante, se dit Gabrielle. La nature est toujours vivante, même en hiver; elle ne fait que sommeiller. Il n'y a pas de « saison morte ». Tout est en place pour l'éternel recommencement. Les arbres emmagasinent leur sève pour le printemps. Sous l'épaisse écorce de l'orme qui monte la garde au pied de la montagne, il y a des larves porteuses de vies futures. Le pic-bois le sait bien, lui qui martelle le tronc de l'arbre pour se nourrir. Gabrielle s'intéresse à son manège et s'émerveille de voir ce brin de vie emplumé résister au froid et survivre. Quand elle contemple la rivière assoupie, elle sait bien que ses eaux bourdonnantes se feront agressives au printemps et qu'elles bondiront en torrents à l'assaut de ses berges.

Pour Gabrielle, il ne peut exister de saison morte. La vie ne peut pas s'arrêter, elle ne peut pas finir.

21

Vie sociale

Souvent, le dimanche soir, monsieur et madame Brodeur invitent les amateurs à une soirée musicale. Alexandra, Télesphore et ses filles apprécient particulièrement l'accueil chaleureux qu'on leur réserve.

On se rassemble alors au salon et Lydia chante, en s'accompagnant au piano, les chants de sa jeunesse : *le Lac* de Lamartine (Ô! Lac, rochers muets) et elle enchaîne avec *La jeune Huronne* (Oh! rendez-moi... mon beau pays avec la liberté). L'assistance est muette. Gabrielle écoute religieusement, faisant sienne la plainte de la jeune Indienne. Elle pense à Mary-Ann, la fille de Sam, belle et libre comme le vent. Sa longue tresse de cheveux noirs au vent, elle escalade la montagne avec l'agilité du faon.

Alexis s'approche de sa femme. Connaissant une douce mélodie qui convient au goût et à la voix de son mari, Lydia joue les premières notes de *Brise des nuits*. La main tendrement posée sur l'épaule de sa femme, Alexis chante avec cœur. Lydia affiche ce petit sourire heureux qui la rend si jolie.

À tour de rôle, chacun s'exécute : Mademoiselle, une chanson de Botrel, Télesphore, *Le Credo du paysan*, Alexandra, les derniers airs à la mode que lui apporte chaque mois une revue musicale, *le Passe-temps*. La soirée se termine toujours par une chanson à répondre. Trop timides pour chanter en solo, Gabrielle et Alicia mêlent ainsi leurs voix à l'assemblée.

Les veillées commencent et finissent tôt. On ne doit jamais oublier le lever « au petit matin ».

Alexandra, Télesphore et ses filles rentrent ensemble.

— J'aime bien ces veillées, dit Télesphore. J'ai remarqué, ce soir, que Mademoiselle a une jolie voix.

— Oui, répond Alexandra, une voix juste. Elle a certaines connaissances musicales, c'est évident.

Le froid est vif. La neige sèche crisse sous les pas.

— Hâtons-nous !, dit Alicia. Je commence à m'endormir. Bonne nuit, Alexandra !

Bonsoir, à demain !

— Tiens !, dit Alicia, Junior est déjà couché. Je monte moi aussi.

— Moi, dit Gabrielle, je vais aller préparer votre lunch pour demain midi, papa.

— Écoute, Gabrielle, va te coucher toi aussi! La viande est cuite, le pain est tranché, tout est prêt... Tu devrais pourtant savoir que je suis capable de me débrouiller! Va te coucher, insiste-t-il. Et devant l'air un peu décontenacé de son aînée, il ajoute d'une voix adoucie: «Ma fille».

Resté seul, Télesphore ouvre la porte du poêle et, après avoir remué les braises du bout du tisonnier, y place deux bûches de merisier, vérifie la bonne position de la clef du tuyau, éteint la lampe et se dirige vers la chambre qu'il occupe au rez-de-chaussée entre la cuisine et la salle de séjour.

Ce soir, il a du mal à s'endormir. Les yeux ouverts dans la nuit, il se demande quelle impulsion irraisonnée l'a poussé à cette brusquerie inhabituelle envers Gabrielle. Ni colère ni emportement; un simple agacement, peut-être, qu'il regrette déjà. Il en cherche d'abord la cause dans le caractère attentionné de sa fille, dans la douceur presque servile qu'elle manifeste à l'égard de sa famille. Il la voudrait plus volontaire, plus sûre d'elle-même; un peu rebelle peut-être, comme Alicia. Et soudain, comme dans un éclair, il découvre en lui la cause de l'impatience qu'il n'a pas su dompter. Au cœur de ses sentiments les plus intimes, dans ses pensées secrètes qui s'attardaient avec complaisance au souvenir de Mademoiselle, l'empressement coutumier de Gabrielle était venu le troubler comme la buée sur la surface d'un miroir étincelant. Télesphore ne pense plus à sa fille. Il s'endort en rêvant à Mademoiselle.

Lorsque Gabrielle a quitté son père, elle a oublié de lui souhaiter une bonne nuit comme elle en a l'habitude. Elle n'a qu'une idée : aller cacher sa peine dans l'obscurité de sa chambre. Elle n'ose pas allumer la lampe. Comme un petit animal blessé qui se glisse dans un fourré pour lécher ses plaies, elle a honte des larmes qui l'aveuglent. C'est la première fois que Télesphore élève la voix en lui parlant. Elle ne comprend pas.

Douloureusement surprise d'abord, la jeune fille a soudain souvenance de la douceur des derniers mots de son père : « Ma fille ». Elle vient de prendre conscience d'une ambiguïté qui la dépasse : rejet et tendresse. Comment ces deux sentiments si contradictoires peuvent-ils cohabiter en elle, l'envelopper, la séduire et la plonger en même temps dans une mer de tristesse inconnue ?

Gabrielle pleure, cherchant à découvrir la cause de la subite impatience de Télesphore. Quel geste a-t-elle posé ? Quelle omission ?... Car tout est sa faute, bien sûr ! Elle finit par s'endormir sur son chagrin.

La jeune fille vivra longtemps avec cette peine farouchement retenue par sa réserve naturelle. Elle ne saurait d'ailleurs pas en parler. Elle ignore encore que le temps passera sur son chagrin comme il passe sur toutes choses.

Qui peut dire aujourd'hui ce que demain garde en réserve pour la suite des jours ?

En tous lieux de la terre, des hommes, des femmes vivent une histoire qui devient le grand roman de leur vie. Il y a des histoires qui naissent dans des palais, d'autres qui prennent racine chez les magnats de la finance ou du commerce. Il y a les histoires du pouvoir et de la célébrité, des histoires qui finissent bien ou qu'un impitoyable destin vient amputer de tout semblant de bonheur.

Au hameau d'Assametquaghan, les histoires qu'on vit peuvent paraître aussi banales que les humbles personnages qu'on y rencontre ; mais pour ces modestes acteurs, c'est quand même une belle histoire : c'est leur histoire.

22

Mademoiselle et Télesphore

Le mois de mars ramène la population du hameau à la chapelle pour la prière du soir. Consacré à la dévotion à saint Joseph, ce mois correspond aussi au temps du carême. À l'occasion de la dernière mission, monsieur le curé a parlé de sacrifices et de conversion. « Il faut mériter les grâces que nous promettent les fêtes pascales », a-t-il dit. Pourtant, à regarder la vie de nos gens, leur dur labeur, leur obéissance totale à l'Église, leur maintien digne et modeste, on a l'impression que ce prêtre s'est trompé d'auditoire. Qu'il leur serait doux d'entendre parfois parler de la miséricorde et de la bonté du Père !

Un soir vers la fin du mois, Mademoiselle sortit la dernière de la chapelle. Elle devait préparer au tableau noir les matières à voir le lendemain. Franchissant la porte, elle aperçut Télesphore qui l'attendait. Mademoiselle n'en fut pas surprise puisque l'espoir de cet instant sommeillait depuis longtemps au fond d'elle-même.

— Vous permettez que je vous accompagne ?, interrogea le veuf. Je ne voulais pas vous laisser partir seule.

Il se sentait un peu gauche. Malgré l'expérience de ses amours anciennes, une timidité d'adolescent paralysait ses audaces, découvrant en lui un sentiment neuf qu'il ne pouvait encore définir.

Mademoiselle lui sourit et, d'un accord tacite, en mesurant leurs pas, ils se promenèrent le temps qu'il fallut pour reconnaître qu'ils étaient bien ensemble et que ce début d'amitié pouvait bien être la promesse de doux et durables enchantements.

Au terme de cette rencontre, pendant que l'institutrice emportait son secret dans sa chambre, Télesphore retournait chez lui d'un pas plus alerte, sembla-t-il. Lorsqu'il pénétra dans la salle de séjour où les deux aînés étaient absorbés dans leur lecture, ses lèvres pleines d'homme en santé esquissèrent un certain sourire d'attente et d'espoir révélant le prélude d'attachements amoureux.

Gabrielle regarda son père et l'étonnement monta en elle. La subtilité de certains sentiments échappait encore à cette adolescente attardée qui ne connaissait rien de la vie : l'école des livres qu'elle fréquentait l'éloignait de la réalité.

Elle se sentait incapable de saisir la raison du changement subtil dans l'attitude de son père. Pour rompre le silence devenu oppressant, elle informa son père de l'absence d'Alicia :

— Elle est allée coucher chez les Maloin, dit-elle. Je ne sais pas ce qu'elle avait, ajoute-t-elle. Elle a brusquement quitté ses amies puis elle est venue chercher sa robe de nuit en m'annonçant son intention.

— C'est vrai, répond Télesphore, l'air distrait de quelqu'un qui a l'esprit ailleurs. Je me demandais où elle était passée.

Puis il se plongea dans la lecture de son journal.

Gabrielle pensa à l'étrange comportement de sa jeune sœur, à son agitation anormale. Elle en connaîtra sans doute la cause par Laure. Ce n'est qu'à sa sœur mariée qu'Alicia confie ce qu'elle appelle ses « tracas ». Au moindre ennui, à la plus légère contrariété, elle court chez les Maloin où il y a Laure, bien sûr, mais surtout la maternelle Maggy.

Ce soir, son impulsion l'a jetée dans les bras de sa sœur qui veut savoir la cause de son excitation inaccoutumée.

— J'ai vu papa se promener sur le quai de la gare avec Mademoiselle, jette Alicia tout d'une traite. Je n'aime pas ça ! Je ne veux pas qu'on nous ôte notre père.

Laure se mit à rire.

— Je ne vois pas là cause à tant d'histoires, dit-elle. Notre père a bien le droit de se promener avec qui il veut. Tu fais bien tout ce qui te plaît, toi !

— Moi, ce n'est pas pareil... Je suis rien qu'une petite fille.

Alicia aime attirer l'attention, voire même la pitié.

Avec son habituelle bonté, la tendre Maggy intervint.

— Viens me voir, dit-elle en lui tendant les bras. Viens me faire toucher ton petit nez gelé. Tu as toujours le nez froid comme un petit chien, ajouta-t-elle en l'embrassant.

La petite s'est pelotonnée sur ce sein chaud qui console de toutes les douleurs.

— Je voudrais bien être un petit chien, énonça-t-elle. On me caresserait, on aurait toujours soin de moi !

— Puis on te donnerait parfois des coups de pied, aussi, dit l'un des jumeaux.

— Ce n'est pas vrai, ça, rétorqua Alicia. Tu es méchant, toi !

— Cesse donc de faire le bébé, lui dit Laure. Il faudrait bien que tu finisses par comprendre que Gabrielle ne passera pas toute sa vie à vous servir. Elle se mariera, elle aussi, et elle s'en ira. Il faut une femme dans un ménage. Je trouve, moi, que Mademoiselle conviendrait bien à notre père.

152

— C'est toi qui le dis, reprit la petite. En tout cas, je ne retournerai pas chez nous ce soir ; je vais coucher ici. Voyez : j'ai apporté ma robe de nuit !

Les deux femmes se mirent à rire.

— Dans ce cas-là, dit Maggy, va t'entendre avec Alexandra.

Alicia, à demi réconfortée, courut rejoindre sa grande amie.

Restées seules, Maggy et sa belle-fille parlèrent longtemps du mariage possible de Mademoiselle et de Télesphore ; elles en élaborèrent le scénario, en précisant même la date approximative : vers la fin des prochaines vacances, sans doute.

Un certain romantisme sommeille au cœur de toute femme. On dirait que les amours qui se bâtissent autour d'elles les replongent dans l'ambiance sentimentale de leur jeunesse. Elles sont heureuses du bonheur des autres qui leur rappelle l'époque de leurs fréquentations amoureuses et leurs vingt ans. Elles deviennent plus douces, plus tendres. Elle se rapprochent de leurs conjoints

— Si Alicia a dit vrai, fit remarquer Laure, il n'y aura bientôt plus de secret autour de Mademoiselle et de mon père. Je pense que tout le monde verrait ces fréquentations-là d'un bon œil.

— Je le pense aussi, reprit Maggy, en se dirigeant vers son métier à tisser. J'ai le goût de finir cette couverture. Je ne travaillerai pas long-temps, juste une demi-heure.

— Moi, dit sa belle-fille, je vais vous préparer des bobines ; ça vous sauvera du temps.

Les deux femmes se mirent à leur ouvrage, mais leur pensée s'attardait à la nouvelle apportée par Alicia.

On s'aperçut bientôt que Télesphore n'avait pas l'intention de garder ses amours secrètes. Tous les soirs après la prière, et les mois suivants, il s'en allait, un sourire heureux au bord des lèvres, à la rencontre de Mademoiselle.

Le temps s'est adouci. La lune d'avril est venue éclairer les pas des marcheurs. Les inten-tions se concrétisent, les projets naissent au rythme des jours qui passent.

— Je devrai bientôt faire part à mes enfants de notre entente, dit Télesphore. C'est étrange comme on se sent gêné de parler de remariage avec ses enfants. On a la curieuse impression de trahir leur mère. C'est du moins ce qu'Alicia essaie de me faire sentir.

— Et les autres ?, demande timidement Made-moiselle. Elle qui rêve d'une vie sereine et calme, elle sent soudain son cœur se serrer comme devant une crainte ou une appréhension.

Télesphore a deviné son malaise et il la rassure. Son amour est plus fort que tous les obstacles.

— Laure est très heureuse, dit-il. Quant à Gabrielle, elle est trop secrète pour exprimer une quelconque opinion, mais elle me paraît plus épanouie. Depuis la mort de sa mère, elle entretient une correspondance assidue avec ma sœur qui est religieuse en France. La semaine dernière, après avoir lu la dernière lettre de Sœur Sainte-Cécile, je l'ai entendue dire, comme à elle-même, qu'elle aimerait bien aller étudier en France. C'est un sujet que j'aborderai avec elle en temps opportun.

L'idée ne vint pas au père de mentionner Junior. Comme tous les garçons de son âge, il est indifférent au remariage de son père. Il n'en parle pas. Il fait confiance à Télesphore et il a raison.

Après avoir consulté Laure, le père se décide à aborder le sujet avec ses trois enfants. Il parle calmement, selon son habitude ; mais ce soir, il est plus hésitant. L'aveu de son amour pour « une étrangère » lui paraît difficile à faire. Il ne sait quels mots dire qui ménageraient la sensibilité de sa famille, de ses filles surtout.

Le veuf a souvent été témoin d'oppositions, ouvertes ou larvées, qui rendent si pénible la situation de la seconde femme. Presque tous les cas se ressemblent. Possessives, les filles sentent alors leur sécurité affective menacée et elles tentent parfois de dresser des obstacles devant le projet de leur père. Elles essaient même de le culpabiliser en rappelant avec insistance le souvenir de leur mère. Elles sont souvent jalouses par anticipation de la place que prendra la nouvelle venue ; dans leur esprit, cette place devrait appartenir éternellement à la première épouse.

Télesphore voudrait bien atténuer le plus possible le choc de ses révélations. Quand il se décide à parler, sa voix s'enveloppe d'une grande douceur. Comme il s'y attendait, Gabrielle et Junior ne réagissent d'aucune façon. Il croit même déceler chez sa fille aînée un certain air de satisfaction. Alicia, elle, bondit en criant :

— Non ! Non ! Je ne veux pas d'autre femme dans la maison ! Nous ne serons plus chez nous ! Je la hais, je la hais, cette Mademoiselle qui a l'air d'un ange et qui veut nous ôter notre père. Je lui ferai assez de mal qu'elle n'osera pas vous épouser !

Alicia crie de plus en plus fort. Elle gesticule, frappe le plancher de ses pieds et finit par éclater en sanglots.

Le visage de Télesphore est empreint d'une sévérité inaccoutumée. Se levant, il saisit les bras de sa cadette et la maintient doucement mais fermement sur sa chaise en disant :

— Cesse ces folies de petite égoïste ! En te passant tous tes caprices depuis ta naissance, on a fait de toi une fille qui ne pense qu'à elle. C'est fini ça ! Toutes les scènes que tu feras ne changeront rien à mes intentions.

Il ajoute, soudain radouci :

— Cette femme-là remplacera votre mère et vous devrez la respecter.

Alicia se calme, mais elle garde sa mine boudeuse.

Télesphore se sent soudain très malheureux. Les enfants regagnent leurs chambres, laissant un homme accablé et tourmenté, par ses pensées, seul dans la grande salle où le tic-tac de l'horloge souligne l'atmosphère angoissante du silence. Face aux contradictions de ses amours, il se dit que tout bonheur doit sans doute se payer; sa conquête, du moins, exige toujours un combat. Homme d'harmonie, il désire une existence aussi tranquille que le courant de la rivière en été.

Non, se dit-il au terme de ses réflexions, je ne rapporterai pas à Mademoiselle l'explosion de violence d'Alicia; cela la peinerait trop. Je dois cependant lui faire connaître son attitude. Et il se promit bien de tout faire pour harmoniser les futures relations familiales.

23

Une conversion et
des fiançailles

Avril, cette année, est d'une douceur exceptionnelle.

Protégé des vents par les montagnes qui l'enserrent, le vallon absorbe tous les rayons du soleil printanier.

— Il ne faudrait pas que la neige disparaisse trop vite, dit Georges ; la rivière déborderait et ferait encore des dégâts.

Chacun partage cet espoir et grand-mère Pino ajoute :

— Par chance, cette année, la femme à Thadore n'attend pas de petit. C'est moins inquiétant.

Les préoccupations quotidiennes de ces gens se traduisent toujours par l'expression d'un désir ou d'un souhait qui ressemble étrangement à une prière.

Les chantiers de Télesphore ont pris fin en mars, au moment où les chemins d'hiver commençaient à défoncer sous le poids des lourds chargements de billes. L'homme des bois a rangé ses attelages, ses bobsleighs, ses pièges, ses trappes et, en attendant la reprise de son travail au chemin de fer, il fabrique des manches de haches pour l'hiver prochain. Il fabrique ces manches de merisier dur séché dans le grenier de la maison durant toute l'année. Ils sont si lisses, si bien tournés, qu'on pourrait facilement les confondre avec ceux que vend le marchand général. Télesphore a le souci du travail bien fait et il s'y applique.

En cette année 1923, Pâques tombait le premier avril. Les habitants du hameau devaient garder longtemps le souvenir de cette date marquant les cérémonies de « conversion » de Sandy et ses fiançailles avec Maria.

La veille de ce jour, usant du poids de son influence auprès des autorités ferroviaires, Alexis Brodeur a fait stopper le rapide des Maritimes en gare d'Assametquaghan. On a vu Maria monter dans le train en compagnie de son père et de Maggy.

Après cinq minutes d'arrêt, le long convoi a repris sa course accélérée, ne s'arrêtant qu'à Campbellton et enfin à Moncton pour laisser descendre les voyageurs.

Sandy est là, à l'arrivée du train, pour accueillir ses visiteurs longtemps attendus. Rayonnant de joie, il baise la main que lui tend Maria, il embrasse sa cousine sur les deux joues et serre chaleureusement la main de Joseph Poirier avant de faire un signe entendu au conducteur de la longue voiture de louage qu'il a retenue pour conduire les voyageurs à l'hôtel.

Avant de quitter ses amis, Sandy leur annonce qu'il reviendra dîner avec eux en compagnie du Père Bourque. Le jeune homme estime et respecte ce prêtre qui l'a initié aux préceptes de la foi catholique. À trois heures de l'après-midi ce jour-là, une faveur insigne de l'évêque lui permettra de recevoir enfin le sacrement de la confirmation. Demain, à la messe matinale du Père Bourque, il communiera pour la première fois et Maria sera à ses côtés.

Quand vient le moment de franchir le seuil de l'évêché, la jeune fille, son père et Maggy se sentent très intimidés. Un évêque est un grand personnage; il faut s'agenouiller pour baiser l'anneau qu'il porte à la main droite. Les gestes sont gauches, mais Monseigneur, en bon Acadien qu'il est lui aussi, parle à ses visiteurs avec bonté, les mettant vite à l'aise. Il n'a pas revêtu ses ornements d'apparât. Le surplis et l'étole lui suffisent pour confirmer le géant qui s'est agenouillé à ses pieds avec la simplicité d'un petit enfant. L'évêque est plus ému qu'il aimerait le laisser voir. Il comprend qu'en cet homme juste qui vient de retrouver la foi de son baptême, la

161

plénitude des grâces sacramentelles agira à jamais. C'est en pleine conscience, en complète lucidité d'adulte que Sandy adhère aujourd'hui à la religion de ses ancêtres acadiens. Il se sent léger, en accord avec le vague désir de conversion qui l'habitait lorsque sa cousine Maggy lui rappelait la foi de son père. En cet instant où sa vie prend une orientation aussi imprévue, il se surprend à évoquer la figure de son père, Pierre Leblanc. Lorsque cet homme hardi et courageux s'était perdu en mer avec sa barque, la Mary-Gladys, Sandy avait quinze ans. Il devait être longtemps marqué par ce drame. Il pense ensuite à sa mère. Il la revoit derrière le comptoir du magasin général qu'elle avait ouvert pour gagner de quoi élever son fils. Grave, sévère même, elle ne souriait jamais.

Le souvenir que Sandy garde de son père est tout autre. Il était un homme solitaire et doux, conciliant et effacé. Reconnu comme un maître d'équipage ferme et juste, il devenait vite simple matelot en présence de sa femme. À la maison, Gladys était le capitaine. Il pense encore à cette grande dame austère et digne qui se plongeait chaque dimanche dans la lecture attentive de la Bible dont rien ne pouvait la distraire. Son petit garçon en profitait alors pour aller jouer avec ses cousins Gallant. Au retour, il retrouvait son père assis sur le perron, face à la mer. L'attitude mélancolique et lointaine de cet homme silencieux lui causait toujours un indéfinissable malaise qu'il assimilait à de la gêne. Soudain on entendait, comme une musique accompagnant les vagues

162

de l'océan, les cloches de l'église catholique qui sonnaient l'heure des vêpres. Se levant brusquement comme à l'impératif d'un signal, Pierre disait à son fils :

— Viens faire un tour au bateau avec moi !

Le garçon n'aurait rien demandé de plus. Au milieu des filets, des lignes et des agrès de toutes sortes, il découvrait un autre homme : on aurait dit que tout ce qui touchait à la mer devenait l'élément naturel de la joie de vivre de ce pêcheur qu'était son père. L'enfant s'émerveillait. Il aurait voulu vivre pour toujours à bord de la Mary-Gladys.

Aujourd'hui, c'est ce souvenir heureux qui monte en lui comme un alléluia. Ce qu'il vient de découvrir dans l'attitude taciturne de son père s'apparente à une grande souffrance, comme l'absence de communion de pensée entre sa femme et lui. Sandy se sent soudain privilégié de pouvoir partager les croyances de Maria : une seule foi, un seul amour !

Il regarde la jeune fille et un grand bonheur l'enveloppe, comme un ravissement. Oui, se dit-il, je dois être l'homme le plus heureux du monde en ce moment ! Avant de partir, le groupe s'agenouille pour recevoir la bénédiction de Monseigneur et ce geste sacré apparait à Sandy comme le meilleur des augures pour la suite des jours.

Il est convenu qu'on se reverra à la messe le lendemain matin. Ce soir, le repas sera frugal comme le veulent les prescriptions du jeûne du carême qui prendra fin à minuit.

Ce matin de Pâques 1923 est radieux. Levées avant l'aube, Maggy et Maria se sont agenouillées pour réciter leurs prières avant de faire leur toilette. Éloignée de sa famille pour la première fois de sa vie, la femme de Georges y revient en pensée :

— Les jumeaux ont dû aller chercher « l'eau de Pâques ». Grand-mère Pino m'a promis de les réveiller avant le lever du soleil, dit-elle.

— « Son père » n'a jamais oublié l'eau de Pâques, reprend Maria. Quand j'étais jeune, je ne croyais pas beaucoup aux vertus de cette eau. Maintenant, je ne m'en passerais pas. D'une année à l'autre, nous en avons toujours une bouteille à la maison.

Puisée dans une eau courante avant le lever du soleil, au moment présumé de la résurrection du Christ, l'eau de Pâques est censée posséder, d'après la tradition, des propriétés fort bénéfiques.

Ce matin-là, on se retrouve souvent nombreux au bord de la source qui surgit de la montagne. Dans le grand silence des aubes froides d'avril, on entend le grondement des eaux tumultueuses du ruisseau qu'elle alimente. À cette heure matinale, le geste qu'on pose pour recueillir l'eau prend une dimension mystérieuse. On n'ose pas parler. La nature majestueuse du hameau perdu est devenue temple, cathédrale, ou plutôt tombeau ouvert d'où sortira bientôt le Grand Ressuscité. Le rite de l'eau de Pâques s'apparente à une liturgie. On en revient heureux, renouvelé et délivré au moment où le soleil pointe glorieux au ras de la cime des montagnes. On se souhaite alors « bon dimanche » à voix basse. Qui craint-on d'effrayer ? Serait-ce les saintes femmes accourues au tombeau ? Bien sûr on ne pousse pas la réflexion aussi loin ; on ne fait qu'obéir à la foi primitive de sa race.

En attendant l'heure de la messe, Maggy et Maria évoquent, dans leurs mots tout simples, le rite de l'eau de Pâques : se lever avant l'aube, quitter la maison dans le froid matinal, creuser dans la neige qui recouvre encore le ruisseau, la cavité qui permettra d'atteindre l'eau qui paraît noire à cette heure ; la joie du retour aussi. Maggy a souvent vécu cette expérience avec son frère aîné. Elle en parle avec une émotion croissante jusqu'à l'arrivée de Sandy.

— Comme tu es beau mon cousin ! s'exclame Maggy en voyant entrer le jeune homme en compagnie du père de Maria. Tu ressembles à un premier ministre !

Sandy rougit. Pour retrouver son aisance, il annonce que la voiture de louage attend à la porte de l'hôtel.

En accueillant le groupe au collège de sa communauté, le Père Bourque se dit heureux de célébrer la messe de première communion de celui qu'il considère comme son meilleur ami.

— À l'issue de la messe, vous déjeunerez avec moi au réfectoire, dit-il avant d'entrer à la chapelle.

L'émotion est vive. C'est un grand jour pour tous les participants. Maria se sent transportée dans un monde irréel. Sandy prend sa main et la guide à la place que le religieux leur a assignée. Le garçon est à l'aise en ce lieu. Il est venu s'y recueillir très souvent après les leçons de catéchisme du Père Bourque. Ce radieux matin de Pâques lui apparaît comme le commencement du plus grand jour de sa vie. « Une résurrection », pense-t-il. Il suit dans son missel, avec une grande attention, la messe que dit le célébrant. Rien ne vient distraire les assistants et les hymnes pascales jouées à l'orgue par un religieux de la communauté invitent à l'action de grâce.

Lorsque Maria et Sandy s'agenouillent à la sainte Table pour communier, Maggy ne peut retenir ses larmes. Elle attendait ce moment-là depuis si longtemps ! Oubliant les salutaires effets de l'amour que se vouent les deux jeunes gens, elle se dit que ce sont certainement les prières de grand-mère Pino qui ont amené la « conversion » de son cousin. Elle éprouve une joie inconnue qui dépasse les satisfactions ressenties tout au long de sa vie, et cette émotion qu'elle ne peut contrôler s'est communiquée au père de Maria. Furtivement, un peu honteux de cette faiblesse, celui-ci s'est essuyé les yeux en espérant que personne n'ait remarqué son geste.

À midi, on se retrouve ensemble dans un coin tranquille de la salle à manger de l'hôtel. Le Père Bourque est là et c'est à l'occasion de ce repas que seront bénies les fiançailles de Maria et de Sandy. Très fière de sa bague, la jeune fille emporte aussi précieusement, à la demande de son fiancé, l'anneau d'or qui les unira pour la vie à leur mariage, l'automne prochain.

— Vous en prendrez soin mieux que moi, lui dit Sandy. Et je penserai à vous à chaque instant du jour, car le beau chapelet que vous m'avez donné ne me quittera jamais.

Maria devait toujours se souvenir de cette merveilleuse journée. En montant dans le train avec son père et Maggy, elle emportait dans son cœur l'aveu de tendresse qu'elle avait lu dans le regard de son fiancé. Le bonheur est là, se disait-elle, je l'ai apprivoisé. Et l'amour est fort. Assez fort pour durer toute la vie et au-delà. Je le garderai bien chaud au creux de moi ; je ne l'abandonnerai jamais aux glaces de l'hiver. Les glaces emprisonnent, elles empêchent les eaux de couler librement. La rivière ne chante plus en hiver, elle dort immobile sous la neige...

Comme si elle avait deviné ses pensées, Maggy lui dit soudain :

— Il faudra bien attendre un gros mois avant que la rivière ne reprenne son cours normal. La couche de glace est épaisse. Pourvu qu'il ne se produise pas d'embâcle ce printemps !

Le convoi vient de s'arrêter. Les voyageurs se hâtent vers la sortie, contents de revoir les visages et les lieux familiers. On les questionne déjà. On veut tout savoir de ce voyage extraordinaire.

— Laissez-moi souffler un peu, dit Maggy. Attendez! Je vous raconterai tout ce qui s'est passé quand nous serons rendus à la maison.

24

La débâcle du printemps

Maria avait raison de redouter la débâcle. Cette année, le temps exceptionnellement doux a fait fondre la neige en moins de trois semaines. Gonflée par des crues trop rapides, la rivière bondit comme une jeune cavale débridée. Ses grondements inaccoutumés et les craquements sinistres de la glace détachée du rivage en lourds blocs compacts inquiètent les hommes. Les femmes se signent comme à l'approche d'un redoutable danger. Grand-mère Pino a commencé une neuvaine de rosaires et madame Brodeur, qui met toute sa confiance en saint Joseph, a fait clouer une médaille à l'effigie de l'époux de Marie sur le mur extérieur du hangar qui domine l'escarpement de la rivière, derrière la gare.

La population est sur le qui-vive. On surveille la crue des eaux jour et nuit.

Ce matin-là, on attendait que le conducteur du *Local* confirme l'arrêt du convoi.

Un embâcle s'est formé hier en haut du détour de la rivière, en face de chez MacDougall.

Il faut agir rapidement si l'on veut éviter les inondations. Le chef de gare s'empresse de télégraphier au surintendant des chemins de fer et celui-ci, mis au courant de la situation, envoie d'urgence une équipe spécialisée dans le dynamitage des embâcles.

On reste tout de même inquiet. Les hommes surveillent surtout la voie ferrée. Se rendant compte que la rivière devrait monter encore de six pouces pour l'atteindre, ils respirent mieux. Les experts auront le temps, se disent-ils, de faire sauter le barrage de glace.

— Pourvu que ça ne nuise pas trop au saumon, dit Alexis.

Aujourd'hui, la rivière est un ennemi qu'on redoute. Ce n'est plus le cours d'eau paisible qui fait partie, en d'autres temps, de nos rêves poétiques. C'est une marâtre, une furie impitoyable qui peut provoquer le malheur. Les femmes pensent aux hommes qui doivent manipuler la dynamite et redoublent de prières. À l'école, Mademoiselle a allumé un lampion devant la statue de la sainte Vierge et récite un chapelet avec ses élèves. Ce matin, on a vu Sandy descendre du *Local*. Il a cru bon de venir rassurer sa fiancée. Il l'imaginait inquiète et malheureuse. Lorsque Maggy aperçoit son cousin dans l'embrasure de

170

la porte qu'il vient d'ouvrir, elle vient prestement à sa rencontre et lui plaque deux baisers sonores sur les joues.

— Tu as bonne mine, lui dit-elle. Viens t'asseoir! Tu ne dois pas être si pressé de revoir Maria, tu es venu dimanche dernier.

— I love her so much!, répond le garçon.

Et comme il ne voit pas grand-mère Pino, il s'informe de sa santé avec tout l'intérêt qu'il porte aux êtres qu'il respecte et qu'il aime.

Maggy le rassure.

— Elle va bien. Elle est allée prier dans sa chambre.

— Chère grand-mère!, reprend-il; je ne saurai jamais combien de prières elle a dites pour moi aussi.

En même temps, il cherche à dissimuler derrière sa large main une larme d'attendrissement qui a mouillé son regard puis il boit silencieusement le café que lui a servi sa cousine.

Il pense à Maria, à la douceur de son regard. Il la verra bientôt. Il lui parlera de la maison qu'il a achetée. Une belle maison spacieuse et claire. On y a déjà entrepris les rénovations qui la rendront plus conforme à leurs goûts.

À dix heures, après avoir embrassé Maggy, il s'en va d'un pas alerte chez Joseph Poirier. Il regarde la rivière. Aujourd'hui, elle lui apparaît comme une étrangère antipathique. Entre les blocs de glace, ses eaux sont noires et écumeuses.

Il se hâte d'entrer chez Maria. Elle est seule. Les deux dernières sont à l'école et les jumelles travaillent chez madame Brodeur aujourd'hui. Les fiancés se sentent à l'aise pour parler d'avenir. Tout est paix autour d'eux. Une bonne odeur de soupe aux pois aiguise l'appétit.

— Vous dînerez avec nous, dit Maria. « Son père » sera content de vous voir. Les hommes ont travaillé bien fort depuis quelques jours, ajoute-t-elle. Ils surveillent constamment la voie ferrée.

— Les petites reviennent déjà de l'école, remarque-t-elle après avoir regardé au dehors. L'avant-midi a passé bien vite !

Sandy sourit, heureux de constater que les pensées de Maria rejoignent si parfaitement les siennes. Il retournera chez lui ce soir, quand tout danger d'inondation sera écarté et que la rivière aura repris son cours à peu près normal.

On a en effet réussi à ouvrir une voie aux eaux impatientes. Vers quatre heures, ce jour-là, le bruit de deux fortes explosions a soudainement rompu le silence fait d'angoisse et d'attente dans les maisons. Après s'être signées, selon leur habitude, les femmes se sont enveloppées à la hâte dans leurs châles avant de se précipiter au dehors pour regarder le mouvement des eaux.

En mouvements lents, d'abord, comme indécise quant à la direction à prendre, la rivière a vite retrouvé son cours. Elle bondit, déchaînée, emportée par une frénésie de libération qui soulève ses éléments d'écume et de glace avec une turbulence effroyable et grandiose. Furieuse et rugissante, elle paraît avoir oublié le rythme de sa chanson douce. Elle maintiendra ce cours accéléré durant plusieurs jours encore, puis sa voix s'adoucira à la mesure de l'apaisement de son courroux. À la fin de mai, lorsque Sandy reviendra habiter sa maisonnette, il retrouvera tout le charme de cette amie fidèle et attachante.

Les habitants d'Assametquaghan ont très vite oublié les inquiétudes de la débâcle du printemps. Leur joie de vivre tout simplement les habite de nouveau et d'autres sujets d'intérêt beaucoup plus séduisants font surface. En ce commencement d'un bel été, on se met à parler d'amour. On s'intéresse de plus en plus aux fréquentations de Maria et de Sandy sans pour autant laisser de côté celles de Télesphore et de Mademoiselle ni les amours d'Alexandra et d'Armand. Les femmes rêvent en imaginant les mariages prochains.

Dans ce climat de tendresse et d'espoir qui sature et enveloppe le hameau, les jours passent comme dans un enchantement.

25

Une grande décision

En ce mois de mai 1923, on chante « le mois de Marie » tous les soirs à la chapelle. La voix d'Alexandra domine naturellement toutes les autres. Il fait beau et la jeune fille est heureuse.

Il y a deux mois, Armand a été nommé télégraphiste de nuit à la gare d'Assametquaghan et elle le voit tous les jours. La prière terminée, ils s'en viennent ensemble lentement, main dans la main. On les voit parfois s'arrêter en se regardant dans les yeux et reprendre ensuite leur marche lente jusque chez les parents de la jeune fille. Si le temps est doux, ils veillent sur la galerie jusqu'au moment où Armand doit aller prendre sa fonction, vers dix heures. S'il pleut, ils se réfugient au salon.

Quelle conversation peuvent bien entretenir des amoureux qui se voient si souvent ? Des petits mots puérils, des serments de fidélité que l'instant présent rend solennels, des projets d'avenir tissés sur d'imaginaires fils d'or ou d'argent. Ces petites tendresses naïvement avouées donnent l'illusion du bonheur et forment l'essence de ces entretiens doux qu'on recrée dans le silence de sa chambre, en oubliant le monde entier.

Quand Armand est là, Alexandra devient indifférente à tout ce qui n'est pas lui. Elle espace de plus en plus ses visites chez Télesphore. Ne ressentant plus le besoin du support affectif de Gabrielle, elle abandonne son amie à sa solitude.

Grâce à son intuition innée, la fille de Télesphore sait se mettre à l'écoute de son amie. Lorsque celle-ci évoque les attitudes, les gestes et les paroles de l'absent, elle comprend que ses propos se veulent un rappel de la présence de l'être aimé. Le départ d'Alexandra la laisse alors toujours perplexe. Seule, elle s'interroge sur elle-même, sur ce qu'elle appelle son « inaptitude à l'amour ». Elle essaie de se représenter l'homme qu'elle pourrait un jour aimer et, n'y parvenant pas, elle se désintéresse d'autant plus facilement de cette question qu'elle commence à voir se concrétiser son merveilleux projet d'études supérieures.

Depuis quelques mois, en effet, la correspondance qu'elle entretient avec sa tante religieuse est plus régulière. Prospectus, programmes, cartes géographiques, itinéraires de voyage et une foule d'autres renseignements lui parviennent de la France.

176

Télesphore hésite à laiser sa fille partir seule pour un si long voyage dans un pays étranger. Elle est si jeune, se dit-il, et si timide, si inexpérimentée !

Jeune, il est vrai, mais réfléchie ; timide mais audacieuse ; inexpérimentée mais déterminée et résolue. Gabrielle insiste.

— Tu pourrais faire les mêmes études dans l'un de nos couvents. Je me demande pourquoi Gertrude (sœur Sainte-Cécile) t'a mis cette idée en tête. Elle veut peut-être que tu fasses une religieuse comme elle ?

Gabrielle ne peut répondre à cette remarque interrogative. Elle n'a jamais envisagé cette éventualité. Ce qu'elle fera après ses études ? Ce que sera sa vie plus tard ? Elle n'en sait rien, mais elle fait confiance à son rêve.

Aujourd'hui, Télesphore a reçu une lettre qui le rassure et emporte en même temps ses dernières hésitations. Sa sœur lui fait part d'un voyage que deux religieuses de sa communauté feront à leur maison-mère française au début de septembre. Elles seraient heureuses, ajoute-t-elle, de s'occuper de Gabrielle. Cette solution lui plaît.

— Tiens, dit-il à sa fille aînée en lui remettant une feuille de papier pliée en quatre, c'est la liste des choses que tu dois te procurer pour le voyage. Ta tante te fait dire de ne pas t'encombrer : on trouve tout ce qu'on veut en France.

— Vous voulez que j'aille étudier là-bas ?
Vous me laisserez partir ? s'exclame Gabrielle,
les yeux brillants.

Elle a eu un geste spontané, comme si elle
avait voulu embrasser son père, mais elle s'est
retenue en ajoutant tout simplement :

— Oh ! merci, papa ! Elle a répété : Merci ! et
des larmes ont glissé sur ses joues.

— Ah ! bien, par exemple, si tu pleures, lui
dit Télesphore interloqué, je vais retirer mon
consentement !

— Non ! Non ! papa. Je suis trop contente ! Je
n'ai pas de peine, je suis heureuse. Il faut que
j'aille au ruisseau...

Le veuf comprend de moins en moins cette
fille qui doit confier sa joie « au ruisseau ». Il la
suit des yeux par la fenêtre.

Elle s'assoit dans l'herbe, à sa place préférée,
là où l'eau coule en cascade sur les galets. Tête
penchée, elle regarde s'agiter le courant. Que
peut-elle bien voir au creux de ce calpotis doux
qui folâtre joyeusement ? Est-ce son court passé
plat et sans histoire ou l'avenir magique qu'elle
imagine ? Elle se lève subitement d'un bond,
traverse la voie ferrée et s'en va à la rivière.
Télesphore la voit qui se promène un long moment
sur le rivage puis revient lentement, toujours
grave et méditative. Il remarque la présence
d'Alexandra et d'Armand sur la galerie de la
maison de Georges ; il entend les airs légers que
Maria joue à l'harmonica pour faire danser ses

sœurs et leurs amis et il se demande encore pourquoi Gabrielle ne se mêle pas aux jeunes de son âge.

Un soleil rouge, tel un globe enflammé, disparaît lentement derrière la crête des montagnes.

— Il fera chaud demain, dit le veuf à sa fille qui vient d'entrer. Le soleil se couche en feu.

— Il fait bien beau ce soir, affirme Gabrielle, sans relever la remarque de son père.

Puis elle commence à feuilleter en silence le catalogue d'achats d'un grand magasin de Toronto en espérant y trouver tout ce dont elle aura besoin pour la grande traversée. Elle est heureuse d'un bonheur sans exaltation. On dirait que le calme majestueux de la rivière s'est insinué jusqu'aux abords de son âme.

26

Accordailles sans surprise

La fin de juin ramène les vacances. Mademoiselle n'a pas renouvelé son engagement car son mariage avec Télesphore sera célébré à la fin du mois d'août. On lui a fait une petite fête et Alexis, au nom de tous les parents, a exprimé les regrets qu'on avait de la voir abandonner la carrière d'enseignante. Il a particulièrement souligné ses succès dans la préparation des élèves de sixième année à la communion solennelle : pas un seul n'a échoué à l'examen de monsieur le curé. Lydia est contente. Demain, Mademoiselle mettra tous les dossiers en ordre, puis elle montera dans le *Local* en compagnie de Télesphore : le temps est venu, semble-t-il, de le présenter à sa famille.

Ce soir, après la fête, le veuf a invité sa promise à l'accompagner jusque chez lui.

— Je veux faire certaines transformations et j'aimerais avoir votre opinion, lui dit-il. Puisque ce sera bientôt votre maison, il est bien normal que vous ayez votre mot à dire dans son aménagement, ajoute-t-il avec un regard tendre qui fait rougir Mademoiselle.

Gabrielle et Junior sont là. Surpris de voir l'institutrice, ils se lèvent pour offrir la meilleure berçante à la visiteuse qui remercie avant de suivre Télesphore à la cuisine où toutes les lampes sont allumées. Elle étudie attentivement le plan des modifications qu'il faudra faire subir à la pièce et elle écoute les explications que lui donne le veuf avant de se déclarer très satisfaite. On aménagera un comptoir et des armoires plus fonctionnels, un placard de rangement à gauche de la porte et on remplacera la fenêtre jugée trop petite.

De savoir la femme aimée sous son toit, si près de lui, Télesphore croit retrouver sa tendre jeunesse. Il se sent comme un tout jeune homme au matin de ses premières amours. Il voudrait exprimer toute la tendresse qui monte en lui, mais il n'ose pas se montrer trop empressé devant ses enfants.

Pourquoi faut-il donc ériger des barrières face à l'explosion de nos sentiments, se demande-t-il ; pourquoi l'être aimé ne pourrait-il pas lire en nous comme dans un livre ouvert les pensées nobles et généreuses qui nous animent ? Toute sa vie, Télesphore se posera des questions sur l'amour, sur les relations affectives des humains, et surtout sur la complexité des rapports des membres d'une même famille. Le moment venu de reconduire Mademoiselle, il cesse de s'interroger.

Le soir est tiède, les lilas du jardin de Maria embaument l'air, les étoiles brillent au-dessus des têtes de Mademoiselle et de Télesphore qui marchent lentement, au rythme de l'entente qui les unit. Progressivement, sans qu'ils en aient pris conscience, leur amour a cheminé jusqu'à ce stade où doit s'accomplir l'union de deux êtres qui s'aiment pour la vie.

Cette découverte, Télesphore la fait en retournant chez lui. Elle confirme l'authenticité de son amour et la justesse de son projet matrimonial. Il pense aux travaux de rénovation qu'il doit entreprendre incessamment. Je placerai la commande de matériaux demain, se dit-il ; cet été-là va passer très vite ! Levant la tête, il voit la fenêtre de la chambre de ses filles s'éclairer. Gabrielle se prépare sans doute pour la nuit, pense-t-il ; elle aussi aura de nombreux préparatifs à faire pour son voyage à l'étranger. Combien de temps y séjournera-t-elle ? Il ne saurait répondre. Il se demande ce que deviendra cette grande fille silencieuse et effacée dans la suite du temps. Une savante, peut-être, qu'il aura du mal à reconnaître et qui l'intimidera ? Il repense soudain au départ de Gabrielle et il se félicite d'y avoir consenti. Mademoiselle entrera plus aisément dans son rôle de maîtresse de maison. Elle pourra faire les choses à sa manière sans devoir se référer à la façon d'une autre. Oui, se dit-il, tout est mieux ainsi ! Il

évoque le tendre sourire de l'institutrice, sa bien-
veillance, sa douceur. Il s'interroge sur l'accueil
que lui feront demain les parents de Mademoiselle.
Puis il sombre dans un lourd sommeil sans que
la face de ce proche avenir ne lui soit dévoilée.

Télesphore se lève toujours tôt et il prépare
lui-même son petit déjeuner : une habitude acquise
au début de la maladie de sa femme. Ce matin, il
a été devancé par Gabrielle. Assise sur le perron
de la cuisine, la jeune fille cire les chaussures de
la famille. Le temps est beau et l'atmosphère est
saturée de l'odeur du lilas.

— Qu'est-ce que tu fais là de si bon matin ?
s'exclame le père.

Gabrielle tourne vers lui un petit visage que
nulle expression n'éclaire.

— J'ai commencé par vos souliers papa, parce
que je craignais de manquer de cirage : il en reste
très peu dans la boîte. Je sais que vous en aurez
besoin pour votre voyage ce soir, ajoute-elle.

Télesphore est ému.

— C'est vrai, répond-il, il faudrait bien que
je paraisse « à mon mieux » si je veux passer mon
examen d'entrée dans la famille de Mademoiselle.

Souriant à cette idée, il enchaîne aussitôt :

— Attends ! Je veux que tu sois la première à
voir la surprise que je réserve à Mademoiselle.

Il rentre précipitamment dans la maison, va
à sa chambre et revient en tenant un petit écrin

qu'il ouvre avec précaution sous les yeux de sa fille.

— Oh ! La jolie bague !, dit Gabrielle.

Elle saisit le bijou et le passe à son annulaire gauche.

— Trop grande ! On voit bien qu'elle n'est pas faite pour moi ! Elle regarde sa main, une petite main d'enfant aux longs doigts effilés, avant d'ajouter pensive : Mademoiselle sera sûrement contente. Quand la lui donnerez-vous ?

— J'avais pensé qu'on se fiancerait dimanche prochain, chez elle.

Télesphore remet la bague dans son écrin, rapporte le précieux bijou dans sa chambre et revient à la cuisine pour préparer son déjeuner.

Gabrielle termine silencieusement sa tâche, puis elle range les chaussures paire par paire dans le coin de la pièce avant d'aller se laver les mains.

— As-tu déjeuné, ce matin ?, lui demande son père.

Et comme sa fille fait de la tête un signe négatif, Télesphore s'impatiente.

— Tu es mince comme un roseau et tu ne manges pas. C'est insensé ! Si ça continue, tu ne te rendras pas en France. Tu vas mourir durant la traversée, ajoute-t-il en adoucissant sa voix. Tiens ! Je te laisse trois belles grillades de lard dorées et un œuf dans la poêle. Apporte ton assiette et viens manger avec moi.

Gabrielle perçoit l'affectueux intérêt de son père sous son ton volontairement bourru. Un sentiment de gratitude monte en elle : c'est comme une allégresse qui donne le goût du dévouement. Lorsque Télesphore quitte la maison pour se rendre au magasin général, il l'entend fredonner un cantique. Une belle journée commence. En traversant la voie ferrée, il regarde la rivière. Le soleil matinal se joue sur ses eaux calmes dans lesquelles se reflète, comme sur la surface d'un miroir, la végétation riveraine. Un long canot glisse silencieusement. Un pêcheur et son guide y prennent place. Le maniement des rames se fait aussi léger qu'une caresse. Du côté opposé, la maisonnette de Sandy paraît dormir dans son cadre de verdure.

Ce matin, Télesphore se sent en parfaite harmonie avec la grande paix qui plane sur le hameau.

27

Monsieur Miller

Sans la rivière, le hameau n'aurait pas ce charme qui séduit tant. Présente aux humeurs mélancoliques ou joyeuses, elle attire et retient le regard et chacun y trouve ce qu'il cherche. Aux jours de canicule, les enfants se plaisent à jouer dans les courants attiédis et peu profonds qui longent ses bords, et par tous les temps, au soleil ou sous la pluie, les rêveurs y puisent l'enchantement de la poésie et les pêcheurs, l'incomparable richesse de sa faune.

La pêche sportive sur la rivière remonte à l'époque de la construction du chemin de fer. Cette voie nouvelle qui devait établir les communications pancanadiennes s'appelait alors l'Intercolonial. L'un des actionnaires de la compagnie qui en fit la construction, Lord Strathcona, découvrant la splendeur et la richesse des lieux, donna à ce sport un élan que devaient perpétuer les héritiers de son droit de pêche.

Cet été encore, ils sont là, pêchant en grand silence jusqu'à la toute fin du jour. Ils s'arrêtent parfois pour allumer et fumer la pipe qui ne les quitte guère. Les volutes de fumée qu'on aperçoit à travers le feuillage nous indiquent leur présence. Ils sont Anglais, Américains sans doute. Certains d'entre eux viennent des États les plus lointains de l'Amérique. Ils sont polis, civilisés et riches. Ils apportent avec eux un élément d'exotisme qui fait voir une façon de vivre très différente du quotidien des gens d'ici. Dans un sens, ils élargissent les horizons. On les voit peu, si ce n'est à la gare où s'arrêtent, pour leur permettre de descendre ou de monter, les trains rapides, et au magasin général où ils s'approvisionnent. Ils entretiennent des relations très amicales avec monsieur et madame Brodeur.

Un soir de la semaine dernière, l'un de ces messieurs, entendant chanter Alexandra, manifesta un grand intérêt.

— Quelle voix superbe! Qui chante? demanda-t-il. J'aimerais bien connaître cette personne.

Toujours fier de faire voir aux étrangers les beautés naturelles du vallon et aussi de mentionner les talents de ses habitants, Alexis s'empressa de conduire l'homme au salon.

Accompagnée au piano par Lydia, Alexandra chantait avec son cœur: « O Danny Boy I love you so! » Ses yeux noirs fixés sur Armand qui l'écoutait attentivement, elle paraissait chanter pour lui seul. Sans leçons, sans technique savante,

188

elle tentait d'exprimer toutes les nuances du sentiment qui l'inclinait vers le jeune homme. L'amour sincère et profond qu'elle ressentait conférait à sa voix une expression de tendresse contenue teintée de passion.

Agréablement surpris, l'étranger déclina son nom et sa profession :

— John Miller, impresario.

Sans laisser le temps à l'hôtesse de répondre, il enchaîna, volubile, dans la langue de Shakespeare :

— Quelle voix, mademoiselle ! Vous avez l'étoffe d'une grande cantatrice ! Il faut cultiver cette voix-là ! Vous devez prendre des leçons ! Il faut que vous veniez à New York ! Je vais m'occuper personnellement de votre carrière !

Et le flot de paroles s'écoulait : compliments, arguments, renseignements, invitation au voyage...

Alexandra était étourdie. Bien que flattée, elle ne savait que répondre. Il y a quelques années, elle avait rêvé d'étudier le chant, mais l'amour venu, le rêve s'était évanoui. Elle n'était plus certaine de vouloir entreprendre une carrière. Elle regarda Lydia, et dans ce regard, il y avait comme un appel à la lumière : Lydia est sensée, Lydia est sage ; elle regarda Armand et saisit dans son attitude un certain désaccord. Comme dans tous les cas où l'on se décharge sur les autres d'une décision ou d'une responsabilité qu'on ne veut pas assumer, Alexandra invoqua la volonté de ses parents.

— Votre attention, monsieur Miller, me touche beaucoup, mais je ne crois pas pouvoir accepter votre offre ; je suis la seule fille chez moi et je dois aider ma mère. Mes parents ne me laisseraient pas partir seule pour aller vivre dans une grande ville comme New York et je n'ai pas de tante, de sœur aînée qui puisse m'accompagner ; vous comprenez ça, monsieur ?

— Non. Je ne comprends pas. Je vous verrais très bien en Carmen ! Vous ressemblez à une Espagnole : vous avez son sombre regard... Faites-moi plaisir. Reprenez pour moi « O Danny Boy... »

L'audition terminée, monsieur Miller souligna certains passages où la voix de la jeune fille devrait être plus nuancée :

— Donnez plus d'ampleur à votre voix ici. Là, retenez, adoucissez, faites-vous plus tendre. Si vous vouliez bien recommencer, on verrait bien.

Alexandra écouta ces conseils avec une attention grave et les applaudissements qui suivirent cette seconde audition lui démontrèrent qu'elle avait compris la leçon.

— Vous apprenez vite, mademoiselle, lui dit monsieur Miller. Mon offre tient toujours et je serais très heureux si vous l'acceptiez. Je pourrais voir vos parents, ajouta-t-il, en se levant pour partir.

Lydia et Alexis félicitèrent la jeune fille en parlant d'une chance exceptionnelle mais Armand n'avait pas l'air de partager le même enthousiasme. Il restait sombre à côté de sa jeune amie qui affichait un maintien triomphant.

En effet, Alexandra s'était sentie devenir une autre personne. Elle avait acquis à ses propres yeux une importance qui avait valeur de symbole. Désormais, elle ne serait plus la jeune fille éprise et suppliante qu'Armand paraît oublier lorsqu'il travaille au loin. L'attention de monsieur Miller l'avait placée à la hauteur du fils du chef de gare. Maintenant, elle avait le choix entre son amour et une brillante carrière. Le refus ou l'acceptation de la chance qui s'offrait étaient liés à l'attitude de celui qu'elle aime depuis si longtemps : à ses hésitations ou à son empressement à s'engager. La carrière devenait l'enjeu de son bonheur.

L'amour ou la carrière ?... Quel dilemme, pensa-t-elle.

— Il faut que je m'en aille, dit-elle. J'ai hâte d'entendre ce que mes parents diront.

Armand se leva en lui demandant :

— La diva permet-elle que je l'accompagne ? J'ai vingt minutes devant moi avant de commencer mon travail.

Il prit un ton faussement enjoué qui dissimulait mal son inquiétude et même sa jalousie. En embrassant Alexandra, madame Brodeur avait dans le regard et sur les lèvres ce fin sourire entendu qui souligne mieux que des paroles la complicité des femmes. La jeune fille rayonnait.

À la lumière de l'événement qui s'était déroulé ce soir, il lui apparaissait soudain que les amours trop faciles ne retiennent pas les hommes. Conquérants de nature, ils sentent le besoin de lutter pour obtenir ce qu'ils désirent. Au moment où s'ouvre une carrière enviable pour la jeune fille qu'il fréquente, Armand s'aperçoit que rien n'est jamais acquis. La certitude qu'il avait de l'amour indéfectible d'Alexandra vient de s'écrouler comme un château de cartes. Il se sent trahi, mais la découverte qu'il vient de faire de la profondeur des sentiments qui l'attachent à la jeune fille jette un éclairage nouveau sur ses amours. Il se fait plus tendre que jamais et, dans l'espoir de la toucher davantage, il insiste sur la peine que lui causerait son départ.

Ce soir, Alexandra a pris conscience de son pouvoir. Elle peut, elle doit se laisser désirer. Elle retient sa réponse.

— C'est si subit ce qui m'arrive, dit-elle. J'ai besoin de réfléchir. Oui, c'est ça, je vais y penser sérieusement. Tu comprends mon besoin de réflexion, chéri ?

Elle appuie intentionnellement sur le dernier mot afin d'atténuer le sens de son incertitude.

— Je veux bien te laisser réfléchir, répondit Armand, à condition que tu prennes la bonne décision. Je viendrai de bonne heure demain après-midi. Tu sauras peut-être quoi faire à ce moment-là ?

Enlaçant la jeune fille, il l'embrassa si tendrement qu'elle ne savait plus alors si elle devrait
réfléchir aussi longtemps qu'elle l'avait imaginé.

Se dégageant, elle rentra chez elle en
courant.

28

L'amour ou la carrière

Durant toute cette nuit-là, entre l'envoi et la réception de messages télégraphiques et le passage des convois réguliers, Armand devait s'interroger comme il ne l'avait jamais fait sur sa vie sentimentale. Sa pensée s'attardait à l'image d'Alexandra rayonnante de fierté et d'un bel Américain aux cheveux grisonnants qui l'écoutait avec une admiration non déguisée ; et il se sentait très malheureux. Il avait fallu cette circonstance imprévisible pour lui faire découvrir les attaches affectives qui le liaient à la jeune fille. Il n'y comprenait rien. Au matin, une solution lui était apparue, incertaine encore mais assez précise pour lui permettre de reprendre une certaine confiance en lui-même. C'est avec cet espoir qu'il avait pu, son travail de nuit terminé, aller dormir jusqu'à deux heures de l'après-midi.

Remontant la pente jusqu'à la maison de Georges Maloin, il cherchait les mots magiques qui pourraient attendrir Alexandra. Il sentait confusément que la décision définitive lui appartenait autant qu'à la jeune fille. Pour faire tourner le vent en sa faveur, il devrait désormais délaisser cette légèreté un peu désinvolte qui caractérisait leurs fréquentations. Le temps était venu d'un engagement sincère et définitif. Il faut sans doute payer le prix de ses amours comme on paie celui de ses ambitions, pensa-t-il.

Aujourd'hui, Alexandra est aussi hésitante qu'hier soir. Il ne semble pas que la nuit lui ait porté conseil. En lui laissant l'entière liberté de sa décision, Georges et Maggy l'ont abandonnée à sa perplexité. Inconsciemment, elle aurait mieux aimé rencontrer leur opposition. Réfugiée au salon, elle se demande si ce ne serait pas pure folie que de renoncer à une carrière longtemps caressée en faveur d'un bonheur encore si incertain. Armand ne lui a jamais fait de promesse sérieuse. Travaillant parfois au loin, il oublie souvent de répondre à ses lettres chaleureuses. Elle a parfois l'impression d'être pour lui non pas une femme désirée mais plutôt une bonne camarade. Elle doute souvent de son amour.

Ce matin encore, elle a senti le besoin de se confier à Gabrielle.

— Il m'est bien difficile de savoir ce qui serait le mieux pour toi, lui a dit son amie. Si j'étais à ta place, je sais bien que j'accepterais l'offre de monsieur Miller. Mais, vois-tu, je ne sais pas, moi, ce qu'est l'amour. Cette force de sentiment que tu portes te ferait certainement choisir l'amour si Armand s'engageait davantage, n'est-ce pas ?

Alexandra en avait facilement convenu.

En attendant le jeune homme, elle flottait entre l'incertitude et l'espoir ; mais dès qu'elle l'a vu venir vers elle, elle a compris qu'il y avait quelque chose de changé en lui. Une nouvelle expression de tendresse soumise a remplacé, dans son regard, la nonchalante certitude habituelle. C'est un amoureux beaucoup moins sûr de son pouvoir qui, lui prenant la main, la fait asseoir auprès de lui.

— Viens t'asseoir, lui dit-il. J'ai envie de te parler sérieusement.

Sans comprendre cette attitude nouvelle, Alexandra se laisse conduire docilement. Un étrange sentiment l'habite : c'est comme un espoir renouvelé qui palpite au rythme des battements de son cœur. Tout son être est en attente d'une révélation qui ne peut conduire qu'à l'enchantement. Elle n'a jamais été aussi belle qu'en ce moment, de la beauté éclatante des brunes qui rappelle le feu.

Armand parla et la jeune fille écouta en silence, de plus en plus ravie, inconsciente de la fuite des heures.

— Mémé a dit que le souper est prêt, tante Ada.

Une jeune voix gazouilleuse ramena soudain Alexandra dans le monde des réalités quotidiennes.

Thérèse, ce petit bout de femme de trois ans maintenant, est là, plantée debout devant Armand et elle le regarde avec cette attention des jeunes enfants auxquels rien n'échappe et qui gêne parfois les grandes personnes.

— Pourquoi t'as les yeux bleus, toi?, demande-t-elle.

Pris au dépourvu, le jeune homme laisse tomber la première pensée qui lui vient:

— Tu devrais demander ça à mon père, petite.

— Où il est ton père?, continue l'enfant.

Avec ces petits, on ne sait jamais quand peut s'arrêter le questionnaire.

Riant de bon cœur, Alexandra prend la main de sa nièce et le bras d'Armand pour gagner la cuisine où se trouve attablée toute la famille.

— Reste à souper avec nous, lance Georges au jeune homme qui s'apprêtait à passer la porte; quand Maggy gratte le fond des chaudrons, elle en trouve toujours plus qu'il y en a, ajoute-t-il, à la blague.

Un convive de plus dans cette famille fait partie des habitudes courantes. La maison est toujours ouverte comme le cœur de ceux qui l'habitent et l'heure des repas est un moment de détente privilégié.

Ce soir, la conversation est plus animée que jamais. Monsieur Miller, Alexandra et Armand en font les frais jusqu'au moment où celui-ci annonce que la jeune fille et lui ont décidé de se fiancer « dimanche prochain » et de se marier entre Noël et le Jour de l'An.

— J'ai bien pensé qu'il y avait quelque chose de changé quand j'ai vu ma fille si joyeuse, s'exclame Maggy. J'aurais pris la même décision, ajoute-t-elle en faisant un clin d'œil à son mari.

— Je me vois mal annoncer cette mauvaise nouvelle à monsieur Miller, dit Alexandra.

Avec l'accent de quelqu'un qui cultive encore une rancune tenace, Armand rétorque vivement :

— C'est bon pour lui, ça ! Ces étrangers ne se contentent pas de pêcher notre saumon, ils essaient aussi d'appâter nos filles.

On aurait dit, à ce moment-là, qu'Alexandra savourait une victoire chèrement gagnée. La lueur de son regard noir et la malice tendre de son sourire reflétaient la satisfaction triomphante de la femme qui vient de séduire l'homme qu'elle désire depuis longtemps. Armand demanda :

— C'est bien chez nous, demain soir, que l'impresario doit venir chercher ta réponse ? J'ai hâte de voir la tête qu'il fera !

Ce n'est pas tant la réponse négative d'Alexandra qui devait étonner monsieur Miller, mais plutôt son air radieux. La jeune fille n'avait rien révélé de ses amours, mais en la regardant, en regardant Armand, il comprit.

— C'est dommage, dit-il. Avec la voix que vous possédez, vous auriez eu le monde à vos pieds !

Puis, après lui avoir baisé la main dans un geste théâtral, il partit en emportant son courrier.

Alexandra se souviendrait sans doute long-temps des dernières paroles de l'impresario. Ce soir-là, elle a eu du mal à s'endormir. Accoudée à la fenêtre de sa chambre, elle écouta les murmures de la nuit. Elle regarda la rivière sans rien voir qu'un long ruban noir qui se confondait avec ses berges. Elle ne put s'empêcher d'avoir une pensée sympathique pour le gardien qui passera de longues heures solitaires sur son bateau plat dans l'opacité des ténèbres. Le cri de l'engoulevent, pareil à un mugissement, la fit soudain frissonner. Fermant brusquement sa fenêtre, elle gagna son lit et s'endormit en pensant au bonheur qui venait vers elle.

29

Propos de mariages

On parlait beaucoup des fiançailles d'Alexandra et d'Armand. On discourait surtout sur les circonstances qui les avaient provoquées et on se réjouissait de la décision prise par la jeune fille. On aurait tant regretté son départ !

Un courant de romantisme inusité saturait l'atmosphère du hameau. Maggy et Laure s'étaient mises avec entrain à la confection du trousseau de la future mariée et grand-mère Pino avait entrepris une neuvaine de rosaires pour le bonheur de sa petite-fille. Les hommes seuls paraissaient indifférents à la frénésie sentimentale qui s'était emparée de la gent féminine ; tous les hommes sauf, bien sûr, Télesphore, Sandy et Armand.

Aujourd'hui, Alexandra est venue faire voir à Gabrielle les deux jolies nappes en toile brodées que madame Brodeur lui a offertes. Elle est gaie.

Elle fait machinalement tourner autour de son annulaire la bague d'accordailles qu'elle a reçue d'Armand. Elle pose sa main sur la table et juste là où le soleil oblique, le solitaire qui y est enchâssé brille de mille feux.

— J'ai moi aussi quelque chose pour toi, lui dit Gabrielle.

Et elle lui présente deux cartons forts sur lesquels elle a épinglé trois jolis centres de table de fil crocheté.

— C'est mon cadeau, dit-elle à son amie. J'en ai fait des semblables pour Mademoiselle.

Alexandra est comblée.

— Où en sont tes préparatifs de voyage? demande-t-elle.

— Ma valise est prête, répond Gabrielle. Puis les deux amies commentent les événements extraordinaires qui secouent le hameau cet été-là : le mariage de Télesphore qui sera célébré juste quelques jours avant le départ de sa fille, les amours de Maria et de Sandy, de Jean-Émile et de Lucy, d'Alexandre et de Janine. Tous ces mariages en perspective occasionnent de nombreux déplacements et beaucoup d'animation.

— La maison bourdonne d'activités, dit Alexandra, on se croirait au beau milieu d'une usine de confection. J'adore ça!, ajoute-t-elle en riant, avant de se lever pour partir.

— Je te suis, dit Gabrielle. Je n'ai pas vu les petites de Laure depuis trois jours. Il m'est difficile de prévoir l'année de mon retour et je ne les verrai peut-être pas grandir. Quand je reviendrai, elles seront sans doute des adolescentes et nous ne nous connaîtrons pas. Cette pensée m'attriste parfois. Je crois, Alexandra, que tu as choisi « la meilleure part, » comme il est écrit. Souvent, je pense à ta mère, à Laure... il n'y a pas de complications dans leur existence. Tout est simple : des petites joies de rien, un bonheur à la mesure d'un désir équilibré, jamais de rêves extravagants. Elles savent où elles s'en vont : les enfants naissent, ils grandissent, on les établit. Toutes les femmes de notre race ont connu le même lot. Tu suivras leurs traces et tu seras heureuse. Tandis que moi..., je naviguerai peut-être toujours sur des mers incertaines. J'ai parfois l'impression d'être accrochée à une étoile filante.

Gabrielle se tait, pensive. Elle prend dans ses bras la petite Thérèse qui courait vers elle.

Dans la cuisine, Maggy et Laure plient les couvertures tissées qu'elles viennent de coudre.

— Tiens Alexandra, il y en a deux pour toi. Choisis-les à ton goût, dit la mère.

— Des bonnes mamans comme vous, il n'y en a pas deux, réplique la jeune fille. Il faut que je vous embrasse.

Prenant alors Maggy par la taille, elle fait mine de l'entraîner dans la danse au milieu de la place.

— Mais ! Deviens-tu folle toi ?, s'écrie en riant la grosse femme déjà essoufflée. Nous avons bien gagné une bonne tasse de thé, ajoute-t-elle en s'asseyant pour reprendre haleine.

Laure et Gabrielle apportent les tasses, la théière et l'assiette pleine de galettes à la mélasse que grand-mère Pino vient de sortir du four.

— Je vais chercher le pot de lait, dit Alexandra. C'est curieux comme je me sens intégrée à la maison depuis que je sais que je devrai bientôt la quitter... Il me semble qu'elle a pris possession de tout mon être, comme si elle voulait me retenir. Vous nous avez toujours fait une vie si douce aussi, maman. Quand je pense à ma tendre enfance, j'aurais encore le goût de me blottir dans vos bras si chauds. On vieillit trop vite !

— Il faut bien donner le tour aux autres, reprend Maggy en essuyant furtivement l'humidité de ses paupières avec le bas de son tablier. Et puis cesse donc de dire toutes ces choses qui ne te ressemblent pas ! J'aime mieux te voir rire comme de coutume.

En constant accord avec les réalités matérielles de la vie quotidienne, Maggy est incapable de saisir le mystérieux attachement que certaines personnes vouent aux choses familières. Alexandra a beau ressembler à sa mère par certains côtés, Laure se demande si elle ne subit pas à son insu l'influence de Gabrielle. Celle-ci regarde son amie et une phrase lue récemment lui revient à l'esprit : « Si douce que soit la main qui les cueille, on sent toujours l'arrachement des fruits ». Oui, pense-t-elle, j'aurai sans doute

204

aussi un peu de mal à m'arracher à tout ce qui m'entoure, à mon ruisseau, à la rivière...

— Bon ! Voilà encore Gabrielle dans la lune !, s'exclame Laure.

— Je n'y resterai pas longtemps cette fois, répond sa sœur. Il faut que j'aille préparer le souper.

Elle caresse une dernière fois Thérèse et dès qu'elle franchit le seuil, toute la majesté du paysage remplit à nouveau son regard : la rivière aux eaux calmes et au-delà, dressée dans la clairière, la tente jaune des Indiens contrastant avec la blancheur de la maisonnette de Sandy.

Ils sont revenus ce matin. Ils vont et viennent comme par les années passées : Sam, sa mère Mary et Mary-Ann, saine, robuste et plus belle que jamais.

Ils ont allumé un feu au bord de la rivière et un léger souffle de vent transporte jusqu'au hameau l'odeur âcre du filet de fumée qui se dégage du bois lentement consumé.

Accroupie sur sa natte usée dans sa posture coutumière, Mary brasse un mélange de poisson, de pommes de terre, d'ail des bois et de tiges de pissenlit qu'elle a lié avec de la farine de sarrasin grillée. C'est la sagamité du soir.

Durant un long moment, Gabrielle contemple la scène paisible éclairée par le soleil couchant. Cette image restera à jamais liée dans sa mémoire au souvenir de l'été chaud qui a vu naître et s'épanouir tant d'amours tendres.

30

L'accident

Alexandra a toujours aimé se promener sur la rivière. Comme tous les enfants du hameau, elle se souvient de s'être laissée bercer doucement au fil de l'eau quand, les autres jeux épuisés, elle ne savait plus quoi inventer pour remplir les trop longues journées de la fin des vacances.

Excédées par la turbulence et les chamailleries des plus jeunes, les mères disaient:

— Allez donc vous promener sur la rivière avec Alexandra. Pendant ce temps-là, j'aurai un peu de paix.

Ainsi sollicitée par les enfants, la jeune fille ne manquait pas d'exiger une discipline inconditionnelle.

— C'est toujours dangereux sur la rivière. Il faut être très prudents, disait-elle avec autorité.

— Ferons-nous un arrêt à la clairière «à Bellavance» pour manger des framboises?, demandaient Amélie et Julienne.

— Veux-tu que j'apporte ma ligne à pêcher?, osait Junior.

— Tu le peux, répondait Alexandra. On ira du côté du McCormick aujourd'hui. Il n'y a pas de saumon, là. On ne troublera pas la conscience de Sandy. D'ailleurs, il dort en ce moment. Et puis, je ne crois pas que tu prennes le moindre saumon avec ton bout de ficelle. Les Américains sont mieux équipés que ça pour la pêche! Et tout le monde riait.

L'été était lourd. La chaleur accablante naissait avec l'aube dans la légère brume blanc-bleu qui s'élevait de la rivière. Puis elle s'argentait au contact des feux du soleil et se perdait en gerbes floues par-delà la crête des monts. Une luminosité translucide dévoilait alors l'extraordinaire présence des choses. De la terre asséchée montaient des senteurs enivrantes : mélancolie morbide ou désir exacerbé. Nulle brise ne les dissipait et ces odeurs rampaient à fleur de terre dans l'éparpillement du foin fauché le long des rails luisants, au centre des mousses jaunissantes et des rochers surchauffés.

L'air s'alourdissait avec la montée du jour.

— Il va en faire une torride aujourd'hui, dit Télesphore en prenant place sur la draisine avec l'équipe des cantonniers.

— Un vrai temps d'orage, répond Georges. On dormira mieux la nuit prochaine.

Dans la matinée, les enfants ont gravi la montagne en quête des premiers bleuets mûrs et cherchant la fraîcheur des sous-bois. Après dîner, ils sont allés barboter dans la rivière, regardant batifoler les têtards, essayant de les saisir à mains nues, faisant des paris et riant de voir leurs formes visqueuses glisser agilement dans l'eau au moment où ils croient les avoir attrapés.

Main dans la main, Alicia et la jeune Marie-Line Brodeur suivent le sentier de la maison des Maloin. On y est habitué à leurs visites. Quand elles se jettent ensemble dans les jupes de Maggy, celle-ci ne manque jamais de les serrer dans ses bras et de les embrasser. Aujourd'hui, en entendant chanter Alexandra, elles se dégagent vivement et courent rejoindre leur grande amie. L'une à sa droite, l'autre à sa gauche, elles touchent les notes de l'harmonium au hasard de leur fantaisie.

— Ah! Quelle cacophonie! Vous me cassez les oreilles. Je ne retrouve plus ma mélodie, s'écrie Alexandra un peu agacée. Laissez-moi chanter ou allez-vous-en !

— On veut pas s'en aller, Sandra. On veut aller en bateau avec toi, pleurniche Marie-Line.

— On veut que tu nous emmènes voir les gros poissons, renchérit Alicia.

— Je vois bien que vous n'avez pas envie de me laisser tranquille aujourd'hui, petites pestes. Allons-y !

Une petite fille à chaque bras, elle s'en va coiffer son grand chapeau de paille.

— Où que tu vas, tante Ada ?, demande Thérèse.

— Me promener en bateau. Veux-tu venir avec nous ?

Laure s'interpose :

— Agitée comme elle est, c'est trop dangereux. Plus tard...

Les pleurs de l'enfant n'y font rien mais Maggy, présente à toute forme de détresse, la console en la prenant dans ses bras.

— Viens au jardin avec moi, lui dit-elle. On a besoin de légumes pour faire le bouilli de ce soir. Tu choisiras les carottes.

La fillette prend très au sérieux le travail qu'on lui a confié. Ses petits doigts grattent et remuent la terre autour d'un légume pour en dégager la calotte afin de déterminer — selon le critère de grand-mère — si cette carotte vaut d'être arrachée. Un clin d'œil approbatif de Maggy et Thérèse tire à pleines mains une superbe racine.

— Regardez, Mémé, comme elle est belle !

Les enfants ont le don merveilleux de se consoler facilement, pourvu que les aînés sachent mettre à leur portée l'occasion ou l'instrument de diversion qui détournera leur attention. L'important est de rester à leur écoute avec tout l'amour qu'on a dans le cœur. Maggy avait acquis depuis longtemps cet art incomparable. Rien ne lui appartenait de son avoir, de ses gestes, de sa personne même. Les autres avaient tout accaparé à son insu et c'est dans ce don inconditionnel d'elle-même que résidait la source de sa joie et de sa paix intérieure.

— Ça suffit, dit-elle en se relevant après avoir décapité la dernière pomme de chou. Allons maintenant préparer le souper.

Elle relève son tablier d'indienne en le tenant de sa main gauche par le bas, formant ainsi un sac dans lequel elle enfouit les légumes. Imitant sa grand-mère, Thérèse retrousse maladroitement sa petite jupe et y place trois radis avant de prendre la main de Maggy pour rentrer à la maison.

Par un réflexe commun aux habitants du hameau, Maggy regarde la rivière avant de franchir le seuil de sa demeure. Elle y voit le bateau dans lequel ont pris place Alexandra et les deux fillettes qui glisse nonchalamment au rythme du courant paresseux. Rien ne presse et il n'est pas question d'accélérer le mouvement.

Elles étaient parties en chantant à mi-voix « Partons la mer est belle,... » mais elles ont vite fait silence en approchant de la fosse à saumons pour ne pas effrayer les poissons. Ils sont nombreux à se balader au fond de l'eau transparente. Ils ondulent et se poursuivent en un mystérieux ballet mis en place à l'aurore du monde. Alicia et Marie-Line, penchées sur le bord de l'embarcation, sont de plus en plus excitées ; et voici qu'un gros saumon plus effronté que les autres vient affleurer jusque sous le regard ébahi de la plus jeune. Inconsciente du danger et en tentant de l'atteindre de la main, elle fait un geste tellement hasardeux qu'Alexandra, horrifiée, s'élance spontanément pour la retenir et la ramener au fond du bateau.

On ne devait jamais connaître les circonstances exactes de l'accident : peur, panique, faux mouvement, élan mal calculé, plongeon fatal ?... Alexandra ne remonterait pas vivante de la fosse à saumons.

Alerté par les pleurs et les cris hystériques d'Alicia et de Marie-Line, Sandy fut le premier arrivé sur les lieux du drame. Sans perdre une minute, il plongea et ramena sur le rivage le corps inanimé la jeune fille.

— Vite ! cria-t-il en direction d'Alexis qui accourait. Prends mon bateau et va chercher les enfants.

Armand était là aussi, hébété, inutile et répétant comme un répons de litanies : « Il faut la sauver ! Il faut la sauver ! »

Mais voici venir Lydia, efficace et forte.

— Viens, dit-elle au garçon éploré en l'entourant de ses bras. Tu as mieux à faire que de rester là impuissant : il faut télégraphier au médecin et au curé et voir à ce qu'ils puissent prendre le premier train. Et pour le reste, faisons confiance à Dieu.

Elle l'entraîna à la maison, lui fit absorber un fortifiant et repartit courageuse, au-devant de sa petite fille qui avait fini par se calmer dans les bras de son père.

— Amène-la dans sa chambre, lui dit Lydia. Il faut que je m'occupe de l'autre.

Alicia, prise d'un tremblement incontrôlable, les yeux secs, répétait sans cesse que tout était de sa faute parce qu'elle avait « beaucoup insisté pour aller voir les gros poissons ».

Mais bientôt, enveloppées de bouillottes et de couvertures de laine chauffées, les deux fillettes se sont endormies dans la même chambre sous la surveillance attentive des jumelles Poirier.

Emportant un drap de coton blanc pour remplacer le manteau de Sandy que celui-ci avait pieusement étendu sur le corps de la morte, la femme d'Alexis ne s'attarda pas. Après avoir récité un « Acte de contrition », un « Pater » et un « Ave », elle annonça qu'elle devait aller chez madame Maloin.

— Quel triste devoir ! murmura-t-elle. Priez pour nous !

— Poor Maggy ! répéta Sandy.

Assis sur une bille abandonnée par la débâcle du printemps, la tête entre ses mains, le gardien paraissait porter la douleur de toute sa parenté.

Une main se posa doucement sur son bras et, relevant la tête, il vit Maria devant lui, souriante malgré les larmes qui mouillaient ses paupières.

— O Dear! O my Dear!, dit-il en lui faisant une place auprès de lui.

Puis, voyant Maggy s'avancer en compagnie de Lydia, il s'empressa au-devant d'elle en répétant :

— Poor Maggy! We loved her so much!

Maggy ne versa pas de larmes stériles. Elle n'eut qu'une faible plainte :

— Ma petite fille chérie! Ma seule petite fille! Les desseins de la Providence sont terribles, parfois!

On la sentait déjà résignée.

Elle voulut voir sa fille. Sandy la conduisit, souleva le drap mais ne permit à personne d'autre d'approcher. Il avait des gestes respectueux et tendres pour sa vieille cousine : des gestes d'enfant soumis. Une affection sincère unissait ces deux êtres et l'épreuve les rapprochait davantage.

— Il faut que j'aille préparer son linge, dit Maggy. C'est grand-mère Pino qui doit l'ensevelir. Je l'ai laissée à genoux dans sa chambre. Elle n'a pas cessé de prier depuis qu'elle sait ce triste événement... Pauvre Georges! ajoute-t-elle, en pensant soudain à son mari ; pauvres garçons!

Maggy est de ces femmes qui font abstraction de leur chagrin pour ne penser qu'à celui des autres. Elle sait par instinct que c'est la meilleure façon de le dominer. Elle a demandé à Alexis de s'occuper de son mari lorsqu'il rentrera du travail. Elle anticipe le choc qu'il ressentira, la peine

214

qu'il essaiera de cacher. Elle le connaît : c'est un sensible sous une carapace d'orgueilleux. En dépit de ses petites faiblesses, Maggy l'aime comme au premier jour de leur mariage... et sans doute un peu plus.

La draisine est rentrée en gare vingt minutes avant le train de l'est. La tragédie était visible, au milieu de leurs proches rassemblés au bord de l'eau, mais elle n'avait pas encore de nom pour les cantonniers. Le cœur serré mais forts d'une longue amitié, les hommes se demandaient lequel d'entre eux serait désigné par le malheur. Lorsqu'on a vu Alexis, grave, l'air accablé, tendre la main à Georges, un mouvement de sympathie s'était porté vers lui.

— Plus tard, plus tard !, a-t-il répondu au chef de gare qui lui demandait s'il voulait voir sa fille. Il faut que j'aille retrouver Maggy. Elle doit avoir tant de peine !

Il a lui aussi une première pensée inquiète pour l'autre. C'est ensemble qu'ils se consoleront et dans leur attachement profond, l'homme et la femme puiseront le courage de vivre dignement leur épreuve.

Georges parti, Alexis donna des détails, du moins ceux qu'il avait pu saisir. Il mentionna Alicia et Marie-Line.

— Elles dorment, maintenant. Tu viendras chercher Alicia plus tard, dit-il à Télesphore. Elle a subi un terrible choc.

Les grandes douleurs se supportent mieux dans le partage d'une affection sincère. Ces hommes simples n'ont pas fréquenté les grands collèges et les universités ; ils ne savent rien des savantes théories philosophiques, mais l'école de la vie leur a appris à vivre les deuils aussi bien que les joies avec une sérénité que leur apporte cette foi ancestrale qui les habite et les dispose à supporter courageusement tous les malheurs. « La Providence, disent-ils souvent, connaît mieux que nous ce qui nous est bon. » La résignation prend ainsi la couleur de l'abandon confiant entre les mains du Père qui ne veut que notre bien.

Télesphore se fait cette réflexion en se hâtant vers son logis. Les yeux rougis d'avoir pleuré, Gabrielle a déjà préparé le souper. Elle s'inquiète au sujet d'Alicia. Elle ne l'a pas revue depuis le drame, dit-elle. Son père essaie de la rassurer :

— Je prends juste une bouchée et je vais la chercher.

Télesphore revient bientôt, tenant par la main la petite fille terrifiée au regard perdu.

— Aide-la à mettre ses vêtements de nuit, dit-il, et apporte-moi une couverture de flanelle : il ne faudrait pas que les frissons la reprennent comme l'a dit madame Brodeur.

Tout doucement, avec des gestes presque maternels, il prend ensuite sa cadette dans ses bras, lui fait boire le lait qu'il a réchauffé et il la berce doucement. Puis, se souvenant des airs

216

tendres que chantait sa femme pour endormir la petite, il se met à les fredonner. L'effet est magique. Alicia entoure spontanément de ses bras le cou de son père et éclate en sanglots lourds et convulsifs. Télesphore la tient bien serrée contre lui et continue de chanter tout en lui caressant doucement les cheveux.

L'enfant pleure, le père essuie ses larmes. Il sait le bienfait des pleurs versés sur un chagrin trop lourd à porter. Il chante toujours en berçant sa fille ; et bientôt, les sanglots s'espacent, les larmes se tarissent, un petit bras relâche son étreinte, puis un autre tombe lentement. Le jeune corps s'amollit, la petite fille dort et son sommeil est paisible.

— J'ai allumé la lampe dans notre chambre et j'ai préparé le lit, murmure Gabrielle.

Télesphore se lève lentement tout en continuant à fredonner. Il monte à l'étage coucher sa fille dans son lit ; il baisse la mèche de la lampe en veilleuse et revient dans la salle commune à pas feutrés. Alicia dort toujours.

— Si elle se réveille cette nuit, viens m'avertir, dit-il à son aînée au moment où Laure, alarmée et soucieuse, fait son entrée.

Ils parlent de la tragédie, de son absurdité. Entré en gare une demi-heure après l'arrivée des cantonniers, le train de l'ouest amenait le médecin et le curé. Sans perdre de temps, sans poser d'inutiles questions, celui-ci s'est agenouillé auprès du corps inanimé de la jeune fille et a procédé à l'administration « sous condition » des derniers sacrements ; l'assistance, recueillie, en suivit pieusement les rites puis s'éloigna pour permettre l'examen médical qui devait résulter en un verdict de « mort accidentelle ».

— Grand-mère Pino et Maria ont enseveli Alexandra, continua Laure. On l'a exposée dans la chapelle où sera chanté le service après-demain matin, assez tôt pour qu'on puisse acheminer le corps par le *Local* à Beaurivage où il sera inhumé. Aussi désolé que nous tous, Sandy a insisté pour prendre toutes les dépenses des funérailles à son compte. Il est toujours si généreux !

Les dernières paroles de Laure furent suivies d'un silence oppressant. Les coudes appuyés sur la table, la tête entre ses mains, Gabrielle pleurait sans bruit.

Sur un signe de Télesphore, sa fille mariée qui ne s'embarrasse pas de subtilités s'approcha de sa jeune sœur et, la prenant par les épaules, lui dit d'un ton bourru :

— Écoute, toi ! Ce n'est pas le temps de te rendre malade à pleurer. Ça n'arrangerait rien, d'abord. Puis, on ne veut pas en enterrer une autre : une c'est assez ! De toute façon, tu pars dans trois semaines et vous auriez été séparées quand même. Pense à notre père, à Junior et à Alicia, plutôt, et montre que tu peux être forte toi aussi quand c'est le temps !

Cette longue tirade secoua Gabrielle. Elle se releva, s'essuya les yeux et, faisant de grands efforts pour se ressaisir, répondit d'une voix à peine audible :

— Je comprends, mais cet accident est si terrible !

Laure s'en alla et Télesphore lui serra chaleureusement la main.

— Je n'irai pas à la chapelle cette nuit, dit-il, au cas où Alicia aurait encore besoin de moi. Mais Junior est là.

Puis, comme si le drame dénouait les invisibles liens pudibonds qui retenaient les élans affectifs du veuf envers ses filles, il embrassa Gabrielle sur le front en lui souhaitant une bonne nuit.

Nul murmure ne monte de la rivière ce soir. On dirait que son courant s'associe à l'éternel silence des cimetières.

31

Douloureux lendemain

Alexandra repose dans son cercueil tout blanc. On l'a revêtue de la robe de broderie blanche qu'elle portait le jour de ses fiançailles. Toute cette blancheur fait ressortir l'abondante chevelure noire qui couronne son visage pâle et la rose rouge qu'Armand a déposée sur ses mains croisées. Le jeune homme est fou de douleur. Il entre dans la chapelle sans regarder personne. Il reste de longs moments en contemplation devant la défunte puis il repart très vite, comme si la vue de ce corps inerte le rendait malade de chagrin. Il va et vient sans but autour de la gare ou se réfugie dans sa chambre où Lydia le trouve en larmes.

Une profusion de roses blanches et roses — don de monsieur Miller — s'étale dans le chœur de la chapelle, sur les marches qui y conduisent et autour du cercueil.

L'impresario est là. Il tient à veiller avec les membres de la famille et la population entière qu'il sent très affligée. Il s'interroge sur le sens de la mort, sur la brièveté de la vie de certains êtres, sur le pourquoi d'une fin si soudaine. Cherchant des réponses à ses questions, il a de longues et graves conversations avec le curé. Sa foi protestante ne fait pas obstacle au respect profond qu'il a des convictions religieuses des autres. Lorsqu'on s'agenouille pour réciter le chapelet, il suit le mouvement sans le moindre signe de réticence. Sa présence se fait réconfort et soutien.

Selon la coutume établie, on veille jour et nuit : les femmes et les grands enfants le jour, les hommes se relayant la nuit. Lydia s'occupe du ravitaillement des veilleurs. Chargées de sandwiches, de gâteaux, de biscuits et de breuvages, les jumelles Poirier font la navette entre la gare et la chapelle plusieurs fois par jour. À minuit, Alexis prend la relève.

Grand-mère Pino prie à longueur de journée auprès du cercueil. Il faut toute la force de caractère de Maggy pour la ramener à la maison à l'heure du souper. Laure assume vaillamment la besogne domestique, aidée — chose étrange — par la jeune Alicia qui a perdu ses airs fantasques. On dirait que le drame l'a transformée. Il s'agit peut-être simplement d'un nouveau miracle de l'amour. En lui manifestant sa tendresse paternelle, Télesphore a changé ce petit être sauvage, rétif et soupçonneux en une fillette confiante qui a retrouvé la joie de sa première enfance. Elle peut maintenant aller vers les autres comme on est venu au-devant de son besoin d'affection.

Hier, son père l'a emmenée prier auprès de la dépouille d'Alexandra. La tenant par la main, il lui parlait doucement « du repos » de leur amie commune.

— Tu verras comme elle est belle, lui disait-il.

Gabrielle et Junior marchaient devant eux.

En entrant dans la chapelle, Télesphore a senti chez elle un recul instinctif. Elle serrait plus fortement la main de son père. Puis, debout auprès de lui, elle a regardé attentivement le beau visage de la défunte. On aurait dit alors que la sérénité qui s'en dégageait se communiquait à la fillette : elle se mit à pleurer sans bruit. L'entourant de ses bras, son père l'a assise tout près de Lydia. Il savait bien que celle-ci trouverait dans son cœur de mère des paroles apaisantes.

Et le miracle s'est produit.

Aujourd'hui, aidée de son amie Julienne, Alicia a lavé la vaisselle du déjeuner puis elle a offert ses services pour prendre soin de Thérèse et d'Antoinette pendant que Laure et Julienne faisaient le ménage des chambres. La sœur aînée a peine à croire en un changement aussi radical mais elle en profite sans se poser de questions.

On évite de parler d'Alexandra. Elle dort si paisiblement dans son cercueil capitonné de satin blanc recouvert de roses.

Demain... demain et les jours suivants, on évoquera souvent son souvenir. Nos morts aimés vivent toujours dans la mémoire de nos cœurs. Il en sera ainsi pour Alexandra.

Le matin du service religieux, à l'aube, les hommes qui veillaient dans la chapelle ont vu entrer Sam, le Micmac. Grave et solennel, revêtu de son plus beau costume en cuir frangé, il s'avança lentement jusqu'au cercueil et déposa entre les mains de la morte une magnifique plume d'aigle doré. Puis, après s'être incliné profondément, il sortit sans dire un mot. Henri, le fils aîné de Georges le suivit pour le remercier de son geste de sympathie. On apprit plus tard la signification de ce symbole : la plume de l'oiseau royal faciliterait l'envol de l'âme de la jeune fille vers la demeure du Grand-Esprit.

À l'exception des femmes qui devaient garder les jeunes enfants, la population du hameau et de la colonie remplit la chapelle et déborda même l'entrée dont on avait laissé la porte ouverte durant la cérémonie des funérailles. La famille occupait le premier banc près du cercueil. Maggy et grand-mère Pino, voilées et vêtues de noir de la tête aux pieds, étaient l'évocation vivante de la mère douloureuse. Les hommes portaient un large brassard de crêpe noir au bras gauche.

À l'entrée en gare du *Local*, Sandy et les trois fils aînés de Georges qui portaient le cercueil l'ont hissé à bord du train. Puis ils retrouvèrent

224

Georges et les jumeaux dans le wagon des passagers où avaient déjà pris place monsieur le curé, Alexis et Armand. Une foule sympathique et curieuse se pressait au bas du marchepied du train. Maggy s'essuya les yeux avec un grand mouchoir blanc bordé de noir puis s'en alla, stoïque, à pas fermes en compagnie de grand-mère Pino qui trottinait à pas menus à ses côtés. Lorsque le convoi disparut dans le premier tournant, les deux femmes se signèrent. Ce geste ressemblait à l'adieu suprême des mères à l'enfant bien-aimé qu'on dépose en terre pour l'éternel repos. Alexandra dormirait à jamais dans le cimetière de Beaurivage, paroisse desservante de la Mission d'Assametquaghan.

Un silence inusité flottait dans l'air et le hameau paraissait endormi. Lorsque les cantonniers se mirent en marche vers le lieu de leur travail, chaque tour de roue de leur draisine sur les rails résonnait comme autant de martèlements agaçant les tympans engourdis. Puis le silence peu à peu reprit toute la place.

On aurait dit que la jeune morte avait emporté, dans le mystère de son départ, les joies et les espoirs de ce monde simple. La mort avait fauché la plus vivante, la plus belle, la plus brillante et la plus talentueuse des filles du hameau. Sans comprendre l'impénétrable énigme de l'événement, Maggy et grand-mère Pino assumaient déjà leur épreuve en s'abandonnant, dans leur naïve foi, aux insaisissables desseins de la Providence.

Assommée de chagrin et de fatigue, Maggy fit une sieste pour la première fois de sa vie, après le dîner servi par Laure. Grand-mère dit son chapelet sur la galerie en regardant couler la rivière immuable, comme étrangère au drame qui s'est joué dans ses eaux.

32

Un mariage, un départ

On n'a rien oublié. Morte, Alexandra est toujours présente à ceux qui l'ont aimée. À la fin de ses vacances, monsieur Miller parlait encore de « la plus belle voix naturelle » que sa carrière d'impresario lui ait fait découvrir.

Armand a accepté un poste au loin. Le temps et l'éloignement useront ses regrets et sa peine. D'autres visages, différents mais aussi beaux, peupleront son univers. Des amitiés, des amours nouvelles viendront à la rencontre de son ardente jeunesse et le passé deviendra ce monde de souvenirs attendrissants et lointains qu'on évoque quand la solitude se referme sur nos soirs.

Maggy porte sa peine comme elle a toujours vécu : avec courage et dévouement. Georges a besoin d'elle plus que jamais ; les jumeaux aussi. Et, perçant la nuit du deuil où s'installe souvent le désespoir, un grand rayon de tendresse, tel un soleil d'aurore, vient réchauffer son univers de femme active. Ses deux petites-filles, Antoinette et Thérèse, lui apparaissent comme le signe d'un recommencement. En faisant le tri des objets personnels d'Alexandra, elle met de côté pour elles les plus jolies choses que sa fille aimait. Tant qu'elle vivra, le flambeau du souvenir ne s'éteindra pas.

Les mères sont ainsi : porteuses et génératrices de vie, elles donnent la vie et font revivre par la mémoire de leurs cœurs les êtres nés de leur chair. Maggy ne s'attarde cependant jamais au carrefour des vains regrets : trop d'existences sollicitent encore le don de son amour ! Elle a convaincu son fils Henri et sa belle-fille Laure de demeurer au foyer paternel. Elle a un ardent besoin de présences affectueuses. Elle se rapproche davantage de Sandy et elle considère déjà Maria comme sa proche parente. Elle lui fait don, pour son futur ménage, des dernières couvertures qu'elle avait tissées pour Alexandra.

Ainsi, rien n'est perdu.

Le mois d'août s'est terminé dans une apothéose de lumière et de chaleur. Le soleil, il est vrai, s'éteint plus tôt derrière les montagnes, mais il laisse sur le hameau une atmosphère de tiédeur douce qui se prolonge jusqu'au cœur des nuits. On ne sent pas encore la nostalgie de l'entre-saison. L'été défie l'automne et s'attarde.

Télesphore et Mademoiselle se sont mariés la semaine dernière. Un voyage de noces écourté leur a permis de revenir avant le départ de

Gabrielle. Les trois enfants attendaient les nouveaux époussés à l'arrivée du train. Réconciliée, depuis l'accident, avec l'idée du remariage de son père, Alicia les a embrassés tous les deux d'un même élan d'affection. Mademoiselle était radieuse.

Ce soir-là, Gabrielle a pu prendre congé de la cuisine, car un repas somptueux attendait toute la famille chez les Maloin.

— Je vous dois bien cette politesse, dit Laure à son beau-père. Vous avez toujours été si bon pour moi !

Télesphore est sensible à cette marque d'affection qui s'ajoute à son bonheur. Dans l'instant qui passe, il oublie le prochain départ de sa fille aînée. Même quand il y pense, c'est pour constater qu'il a bien apprivoisé cette réalité. Les enfants grandissent vite et l'autonomie qu'ils développent, ainsi que les orientations qu'ils prennent, s'inscrivent dans la normalité de la vie. Dans deux ans, ce sera au tour de Junior de partir pour compléter ses études au collège. Regardant sa jeune femme, une bouffée de chaleur lui monte au cœur. Il ne craint plus la solitude.

Les derniers préparatifs de son long voyage ont accaparé toute l'attention de Gabrielle. Elle se sent déjà détachée de son quotidien. Elle en éprouve une certaine satisfaction. Il y a si longtemps qu'elle rêve, sans en rien connaître, d'une existence intellectuelle intense. Elle croit toucher la limite de son désir.

Demain, elle partira seule. Elle avait imaginé différemment ce début de voyage : Alexandra devait l'accompagner jusqu'à Montréal où elle doit rencontrer les deux religieuses qui feront la traversée de l'Atlantique avec elle. Elle éprouve soudain une certaine angoisse, la peur de l'inconnu. Elle se sent si jeune, si ignorante... Alexandra était forte et débrouillarde, elle rassurait.

Comme la vie est étrange ! On dirait que la mort fauche aveuglément les plus belles plantes. Si le souvenir pouvait donc ressusciter nos morts bien-aimés dans la splendeur de leur tendre jeunesse !

Ce soir, pour la dernière fois avant son départ, Gabrielle se promène à pas lents au bord de la rivière. Elle a toujours goûté intensément ces moments privilégiés du crépuscule attiédi qui s'accorde avec ses émotions. Elle voudrait s'approprier toute la poésie de ce paysage familier qu'elle a tant de fois contemplé. Même si elle le voulait, elle ne pourrait pas l'emporter avec elle au-delà des mers. Rien de ce qu'elle a connu ne la suivra. Tout sera différent : la langue — en son accent —, les habitudes, le climat et les êtres.

Elle erre ensuite dans les avenues de son court passé : son enfance solitaire, sa jeunesse dérobée à la joie de vivre par les travaux ménagers, des années vides, sans histoire qu'elle ne regrette pas de quitter. Elle envisage calmement l'avenir incertain qui se dresse devant elle. Il lui faudra déployer de grands efforts pour s'adapter aux lieux, aux usages, à ce monde nouveau. Elle devra apprendre à surmonter sa timidité maladive qui paralyse souvent l'expression de sa pensée et gêne la spontanéité de ses gestes. Tout cela, elle le pressent sans pour autant douter d'elle-même ni de son succès.

Assise sur la longue bille de bois à demi submergée, Gabrielle regarde décliner le jour. Sur la rive opposée où se blottit la maisonnette blanche de Sandy, on ne voit plus trace de vie quand le gardien s'en est allé faire sa ronde de nuit. Les Indiens Micmac ont levé leur tente et sont partis la semaine dernière. Le filet de fumée qui s'élevait chaque soir de leur feu de camp étendait sur le hameau un voile de mystère qui n'était pas sans charme.

Plongée dans ses réflexions, la fille de Télesphore n'a pas vu venir Junior.

— Papa m'envoye te chercher, dit-il. On aimerait être tous ensemble ce soir encore. Laure et Henri sont là.

— C'est vrai, répond Gabrielle. Une autre leçon que je devrai apprendre sera d'accorder plus d'importance aux êtres qu'aux choses. Tu vois, j'ai un long chemin à parcourir !

Elle prend la main de son frère, accordant son pas au sien pour traverser la voie ferrée et monter le sentier qui mène à la maison aux fenêtres toutes illuminées.

— Tu me manqueras, dit Junior. On s'entendait bien tous les deux. Tu m'écriras, au moins ?

— Je te le promets, répond sa sœur.

— C'est le temps que tu arrives, s'écrie Laure en la voyant. Je voulais te voir avant ton départ, moi !

Gabrielle éprouve soudainement, au creux de son être, un sentiment tout nouveau : elle se sent enfin proche de ceux qui l'entourent. Elle s'était depuis longtemps habituée à l'idée qu'on la trouvait très différente des autres. « On dirait qu'elle n'est pas de la famille », disait Laure. Pour l'aînée de Télesphore, cette différence signifiait incompréhension et même rejet. Pourquoi lui faut-il donc découvrir l'amour des siens juste au moment où elle doit les quitter ? Elle est triste à la pensée qu'elle réalise aujourd'hui seulement tout le potentiel d'affection qui sommeillait en elle et qu'elle n'a pas su donner à temps. Oui, pourquoi devons-nous toujours laisser passer nos petits bonheurs sans les saisir ? Elle retient ses larmes et s'en va, docile, jouer au piano les pièces que son père aime entendre.

Chacun devait garder de cette soirée un souvenir inoubliable. C'était comme une rupture, le premier signal de l'éparpillement de la famille. On y référerait souvent, comme à une date importante liée au remariage de Télesphore.

— Tu te rappelles, dira-t-on, c'était le jour du départ de Gabrielle...

En quittant son hameau, la fille de Télesphore emportait dans son cœur des sentiments, des impressions et des images qui la suivraient toute sa vie. Elle pourra changer, elle changera indubitablement, mais elle restera toujours fidèle à ses racines.

Le matin de son départ, son père l'a serrée dans ses bras comme jamais il ne l'avait fait. Junior lui a tenu la main jusqu'au bas du marchepied du wagon dans lequel elle devait monter. Gabrielle vit les siens s'éloigner tête basse, absorbés par des pensées moroses. En contrebas de la falaise où roulait le convoi, la rivière étalait effrontément sa splendeur. Sous un soleil radieux, la végétation exubérante de ses bords se mirait dans les eaux claires, reflétant les premières richesses des coloris d'automne.

Gabrielle s'en allait seule vers son destin.

33

Gabrielle et son choix — Les changements

Le départ de la fille de Télesphore fut, en quelque sorte, le signe avant-coureur de nombreux changements qui s'inscrivirent par la suite dans la ligne de vie des habitants du hameau.

Deux ans, trois ans passèrent. La sœur de Télesphore, sœur Sainte-Cécile, écrivait que sa nièce faisait « de brillantes études ». Ses vacances même devenaient l'occasion de suivre des cours particuliers et à la fin de ses études, il avait semblé naturel à Gabrielle d'accepter un poste d'enseignante dans un lycée français. Elle ne parlait jamais de son retour et la famille s'habituait à son absence.

On ne savait plus très bien depuis combien d'années la fille de Télesphore résidait en France. Dix ans, douze ans, peut-être... Les lettres qu'elle écrivait régulièrement créaient toujours, il est vrai, une certaine effervescence, mais la routine quotidienne mettait bien vite son écran de distractions innocentes et de préoccupations familiales.

Et voilà que Gabrielle annonçait son retour.

— Je serai parmi vous dans dix jours, avait-elle câblé du Havre. Je voyagerai avec une religieuse canadienne qui a vécu vingt ans en France.

La grande nouvelle a vite fait le tour du hameau. L'écho s'en répercutait d'un bout à l'autre au flanc des montagnes ; il rasait la surface paisible de la rivière, s'élevait de la terre comme une musique joyeuse et se dissipait en une fumée fugace dans le flou de l'air chaud du quinze juillet.

Chez Télesphore, on s'activait. Les quatre enfants nés de son remariage avec Mademoiselle interrogeaient leurs parents : qui était cette grande sœur qu'ils ne connaissaient pas ?

Le père ne pouvait donner une description parfaite de sa fille ; il n'était même pas certain de la reconnaître à son arrivée.

Lorsqu'il vit, encadrée dans la portière du train, cette grande et mince jeune fille qui souriait sous son léger chapeau de paille, il crut à une apparition. Gabrielle ressemblait encore un peu à l'image de son adolescence, mais... ce n'était pas tout à fait elle non plus. Très simplement vêtue d'une petite robe chemisier droite de coupe impeccable, son manteau de gabardine marine replié sur son bras et un grand sac de voyage accroché à l'épaule, elle donnait l'impression de l'aisance personnifiée. À trente ans, tout en conservant ses manières réservées, elle était devenue une jeune femme épanouie et sûre d'elle-même.

Toute la famille s'était rassemblée pour la recevoir. Laure, Henri et leurs fillettes, Junior et sa femme Germaine, Alicia et son fiancé, Mademoiselle et ses enfants se pressaient, gênés, autour de leur mère. En embrassant sa fille, Télesphore eut l'impression d'accueillir une étrangère. « Ai-je tant vieilli, se demanda-t-il, ou serait-ce l'autre monde et le temps qui l'ont changée, elle ? »

Le train avait depuis longtemps disparu au loin et tout le monde était encore là, sur le quai de la gare, à se reconnaître, à s'embrasser et à parler tous en même temps. Puis on se mit en route vers la maison de Télesphore.

Avant de pénétrer dans la maison, Gabrielle se retourna pour jeter un long regard sur la rivière. La rive nord était transformée. La maisonnette du gardien avait disparu pour faire place à une auberge à tourelle dont la cuisine renommée, devait-elle apprendre, attirait un grand nombre de touristes, voyageurs ou pêcheurs. Au niveau de la gare, un solide pont de bois couvert avait remplacé le bac passeur. On vivait maintenant à l'ère de l'automobile.

La fille de Télesphore n'avait pas fini de s'étonner des changements survenus en son absence. Parvenu à l'âge de la retraite, Georges Maloin s'en était allé vivre au village de son enfance, amenant avec lui la famille de son fils Henri. Isidore Ledoux avait fait de même et des nouveaux venus les avaient remplacés.

Assise à table à côté de son père, Gabrielle écoutait la relation des événements de la dernière décennie en se disant qu'on n'échappe pas aux impératifs contradictoires de la vie. On lui parlait des mariages et des naissances, sans omettre les décès. Grand-mère Pino s'était endormie pour toujours dans sa berceuse en récitant son chapelet ; la jeune Marie-Line Brodeur avait été emportée en quelques semaines par une « phtisie galopante » à l'âge de dix-huit ans — l'âge d'Alexandra, pensa Gabrielle — et Sandy était mort d'une crise cardiaque l'année précédente... « encore en plein bonheur », avait-on ajouté.

— Pauvre madame Brodeur, murmura la fille de Télesphore... Et Maria, que devient-elle ?

Chacun ajoutant un détail, comme pour une histoire écrite en collaboration ; on mentionnait chaque incident, on décrivait minutieusement les situations vécues par les malheureuses personnes concernées. Madame Brodeur, par exemple, s'était montrée la femme forte et admirable qu'elle avait toujours été. Quant à Maria, seule, sans enfants, elle avait vendu sa belle maison de Moncton pour venir vivre avec sa sœur cadette mariée elle aussi. Après avoir fait rénover et agrandir la maison, elle prenait soin de son vieux père malade, gâtait les enfants d'Amélie et continuait son service de sacristine à la chapelle. « Une sainte », disait-on.

Télesphore parla de sa scierie. On y avait scié tout le bois nécessaire à la construction des grandes maisons qui devaient remplacer les camps en bois rond du début de la colonie sur la montagne. Les terres en culture avaient fait reculer la forêt, les familles s'étaient agrandies et on avait dû bâtir une école.

— Nous irons faire une tournée là-haut, ajouta le père. Tu ne t'y reconnaîtras plus.

On s'était séparé assez tôt. Laure alléguant la fatigue des enfants et Junior la grossesse de sa femme. On se reverrait!

Comme aux soirs de leur tendre jeunesse, Alicia et Gabrielle partagèrent la même chambre. Les deux sœurs se ressemblent de moins en moins. On dirait que le temps et l'éloignement ont encore accentué leurs différences. Adulte, la cadette a conservé ses manières un peu brusques et son langage direct. L'aînée s'est inconsciemment approprié un accent français. Alicia l'a immédiatement surnommée « Miss Pointue ». Les jours suivants, rendant visite aux familles Poirier et Brodeur, c'est sous ce nom qu'elle présentait Gabrielle; personne ne prenait au sérieux cette innocente ironie.

Les gens avaient bien peu changé. Maria gardait cette luminosité du regard éclairant la douce mélancolie de son sourire; Lydia Brodeur avait toujours une fine pointe de malice dans ses beaux yeux noirs et Alexis était resté le monsieur jovial du temps passé.

— Puis-je vous offrir un « p'tit sourire » ?, demanda-t-il aux deux jeunes filles.

Gabrielle sourit. Elle se rappella que c'était toujours ainsi qu'il offrait une consommation à ses visiteurs, à l'époque de leurs soirées musicales. Ce cocktail, dont la composition était jalousement gardée secrète, avait la douceur d'un nectar, mais personne n'aurait osé en abuser.

— Il y a du cheval dans ton p'tit sourire, Alexis, dit Télesphore.

Ce souvenir et tant d'autres montèrent au cœur de Gabrielle. Elle en savoura la tendre simplicité en se disant que plus rien de sa vie présente ne se comparait à son passé. Devant elle se dressait l'avenir et son grand projet de vie qu'elle devait révéler à son père dès qu'une occasion propice se présenterait.

Le soir, retrouvant ses anciennes habitudes, elle alla marcher seule au bord de la rivière. C'est là qu'elle a toujours trouvé l'inspiration de ses jours ; c'est là qu'elle puisera le courage de ses confidences ultimes. La longue bille qui lui a si souvent servi de banc s'est enfoncée dans le sable. Il n'en reste aujourd'hui qu'un court tronçon lisse à fleur de terre. L'an prochain, elle aura disparu, emportée par le temps qui efface tout.

Que restera-t-il de ma vie passée, se demanda Gabrielle. Quelques grains de sable fin, une légère poussière que les vents de l'oubli disperseront aux quatre coins de l'horizon.

Seule la rivière ne change pas, se dit-elle.

Lentement, elle revint sur ses pas, s'attardant aux abords du ruisseau dans l'espoir de reconnaître la chanson cristalline qui berçait les soirs d'été de sa jeunesse.

Elle rentra enfin dans la maison. Télesphore lisait le journal, seul dans la grande salle de famille.

— Viens t'asseoir, dit-il à Gabrielle. J'aimerais que tu me parles de ta vie en France.

Et pour répondre à l'interrogation muette de sa fille, il ajouta :

— Ma femme et Alicia sont allées voir le père Poirier et les enfants sont couchés.

La jeune fille était heureuse d'avoir la chance de causer avec son père. Elle parla de sœur Sainte-Cécile et de toutes les religieuses qui l'ont si bien accueillie à Bourg-Saint-Andéol.

— À cet endroit, où j'ai étudié deux ans, le Rhône me rappelait notre rivière, dit-elle, rêveuse.

Puis elle parla des collèges, de la Sorbonne, des lycées où elle enseigne depuis quatre ans. Un air de fierté s'inscrit sur les traits d'homme mûr de Télesphore et il l'écouta presque religieusement.

— Et maintenant, interrogea-t-il, que comptes-tu faire ?

— Maintenant..., murmure-t-elle.

Elle pencha la tête. Un long silence enveloppa le père et la fille. Ils avaient mal tous les deux, comme si un abîme les séparait.

— Maintenant, reprit Gabrielle, ma jeunesse est déjà loin. À trente ans, le temps est venu pour moi de faire un vrai choix de vie. Je repartirai la semaine prochaine et dès mon retour en France, j'entrerai en communauté. Je veux être religieuse.

— Pourquoi aller si loin pour entrer en communauté ?, s'écria Télesphore. Et pourquoi veux-tu donc te faire religieuse ? C'est sans doute ma sœur qui t'a influencée...

— Oh ! non, mon père ! Je ne suis pas femme à me laisser influencer, comme vous dites. Demain, ... bientôt, en y pensant bien, vous conviendrez que ma place n'est plus ici. Ma place est là-bas. Je continuerai à vous écrire régulièrement et nous ne nous aimerons pas moins, ajouta la jeune fille.

— Bien oui, ... bien oui, répondit Télesphore en essuyant une larme du revers de sa main.

Alicia et « Mademoiselle » entraient.

Cette dernière semaine devait passer très vite. Le jour du départ venu, toute la famille s'est retrouvée sur le quai de la gare où Gabrielle attendait le train qui la conduirait au lieu d'embarquement de la traversée océanique. Par la fenêtre de son compartiment, elle regarda une dernière fois ces êtres chers qui agitaient des mouchoirs et lui envoyaient des baisers de la main. Télesphore tenait son dernier-né dans les bras et paraissait heureux.

Cette vision d'une famille unie dans un ordre de valeurs partagées devait balayer ses dernières hésitations.

— Tout est bien, se dit-elle. Oui, tout est bien ainsi !

Et elle se perdit une dernière fois dans la contemplation de la rivière, immuable, énigmatique et secrète, qui baignait le pied des monts où se blottissait le hameau d'Assametquaghan.

TABLE DES MATIÈRES

Achevé d'imprimer
en mai 1988 sur les presses
des Ateliers Graphiques Marc Veilleux Inc.
Cap-Saint-Ignace, Qué.

COMPOSÉ AUX ATELIERS
GRAPHITI BARBEAU, TREMBLAY INC.
À SAINT-GEORGES-DE-BEAUCE